—

Centro
Internacional
das Artes
José de Guimarães

José de
Guimarães
International
Arts Centre

—

25 abril / 27 setembro 2015
April 25 / September 27, 2015

VASCO ARAÚJO

Demasiado pouco, demasiado tarde
Pintura, escultura, fotografia e filme

Too little, too late
Painting, sculpture, photography and film

C I A J G

DOCUMENTA

O trabalho de Vasco Araújo (Lisboa, 1975) tem incidido de forma sistemática sobre a história do colonialismo europeu e sobre os seus efeitos tragicamente duradouros, do ponto de vista das dinâmicas relacionais de poder e de submissão entre homens de lugares e culturas diferentes.

Após décadas de silenciamento, o período colonial tem sido objeto de um escrutínio crítico abrangente e consistente, com origem na academia mas também no campo das artes ou da literatura. Contudo, em Portugal, aquilo que terá mudado com a presente geração, que surgiu na década de 70 e depois, é um interesse que tem origem em inquietações também de ordem biográfica, que se ancora em vivências pessoais e que reage a um ensurdecedor silêncio e a uma prolongada amnésia que marcaram e ainda marcam a memória desse período que tantos traumas deixou por tratar.

De facto, aquilo que torna particular a investigação do artista em torno desta temática é o seu interesse nas relações domésticas, íntimas, não confessadas, entre-muros, à volta da mesa e na cama – relações tanto mais problemáticas, e consequentemente difíceis de circunscrever, quanto difusas, turvas, que misturam o exercício de poder, de controlo e de domínio com uma tessitura de relações humanas, de ordem afetiva ou sexual.

O artista traz para o seu terreno de investigação ferramentas e dados usados e recolhidos por outras disciplinas, tais como a história, a antropologia, a sociologia, para construir narrativas que se materializam em vídeo, escultura, pintura e fotografia. A exposição, produzida especificamente para o CIAJG, cruza diversas fontes, visuais ou de texto, recorre à história oral ou de proximidade, à literatura, ao património visual, da pintura de história à história da fotografia.

Vasco Araújo constrói um discurso plural, sobrepõe planos de representação, o texto à imagem – não tem pudor no uso das palavras, das imagens ou dos objetos, faz-nos confrontar, por excesso e por defeito, com as nossas escolhas, as omissões, a preguiça da linguagem que usamos no quotidiano, com anos de auto-censura, com o adiamento de um exame de consciência, a sós, perante nós próprios. Afinal, a história do colonialismo implica-nos, fazemos parte dela por herança, de memória, porque ouvimos falar, porque a vivemos ainda no dia-a-dia, por imperativo ético.

Com a exposição individual de Vasco Araújo, "Demasiado pouco, demasiado tarde", o CIAJG continua e aprofunda a sua vocação de perscrutar e revisitar, sob um ponto de vista simultaneamente poético e crítico, empático e distanciado, as tensões, os desejos, os afetos ou as angústias que os objetos corporizam e transportam e aquilo que revelam dos homens e da história que construímos.

Nuno Faria

The work of Vasco Araújo (Lisbon, 1975) has systematically focused on the history of European colonialism and its tragically long-lasting effects, from the perspective of the relational dynamics of power and submission between peoples from different places and cultures.

After decades of silence, the colonial period has recently been subject to comprehensive and consistent critical scrutiny, that began in both academia and the arts or literature. However, in Portugal, the main aspect that has changed for the present generation, which emerged from the 1970s onwards, is an interest rooted in concerns which are also of a biographical nature, anchored in personal experiences and in reaction to a deafening silence and prolonged amnesia that has marked, and still marks, the memory of this period, that has left so many untreated traumas.

In fact, what distinguishes the artist's research in this field is his interest in domestic, intimate, unconfessed relationships, engendered behind closed doors, around the table and in the bed. Such relationships are even more problematic, and consequently difficult to circumscribe, the more diffuse and cloudy they are, given that the exercise of power, control and domination interweaves with a complex fabric of emotional or sexual human relationships.

Vasco Araújo brings tools and data to his field of research that are normally used and collected by other disciplines - such as history, anthropology, sociology – in order to construct narratives that he materializes using video, sculpture, painting and photography. The exhibition, produced specifically for the CIAJG, intersects various visual or textual sources and draws on oral stories or proximity to literature, visual heritage, ranging from historical paintings to the history of photography.

The artist thereby builds a plural discourse, in which he overlaps different planes of representation, from the text to the image – and unreservedly uses words, images or objects, to force us to confront, through excess, and by default, our choices, omissions, and the lazy language that we use in everyday life, which reflects years of self-censorship, postponing an examination of our conscience, on our own, before ourselves. After all, the history of colonialism involves all of us by ethical imperative - we form part of it, by inheritance, through our memories, and because we hear other people talk about it and still experience it in our day-to-day lives.

With Vasco Araújo's solo exhibition, "Too little, too late", the CIAJG continues and furthers its vocation to scrutinise and revisit – from a simultaneously poetic and critical, and empathetic and distanced perspective – the tensions, desires, affections or anxieties that different objects embody and carry with them, and explore what they reveal about mankind and human history.

Nuno Faria

Botânica #5, 2012-14

Conversa entre Vasco Araújo e Nuno Faria

NUNO FARIA

Como forma de introdução à nossa conversa, interessa-me obviamente situar o contexto e a circunstância desta exposição no CIAJG, falando, por agora, enquanto programador do espaço e não ainda enquanto curador da exposição. De facto, a tua relação com o Centro, como acontece com outros artistas, foi-se construindo. Quer dizer, não te convidei para fazeres uma exposição individual de imediato, convidei-te antes para uma primeira intervenção, no âmbito da colecção permanente, intervenção essa que foi tendo ecos sucessivos até termos decidido os dois que nos interessava trabalhar em conjunto numa exposição individual feita de raiz, produzindo peças e pensada especificamente para aquele espaço e para aquele contexto. E, justamente, a questão do contexto é central porque a programação que eu faço neste espaço não é uma programação pensada para um espaço em branco, para uma *white box*, é uma programação para um espaço que tem uma ancoragem muito específica ao lugar em que se encontra, que tem uma colecção, um conjunto de colecções constituídas por um artista que tem já de si uma espécie de raiz estética e ideológica, digamos, experiencial, vivencial, muito dominadas pela questão do outro, do estranho e do familiar, da identidade e da história, do atravessamento de várias épocas, da memória individual e colectiva. E a mim interessa-me particularmente que o programa que fazemos seja posto em causa, que entre em diálogo com universos autorais que introduzem ruído, que vêm levantar questões, que vêm dialogar em vários sentidos com aquilo que lá está – não só com os objectos mas também, e sobretudo, com a retórica, com os dispositivos que os dão a ver, em suma, com o discurso museológico. E nesse sentido o que espoletou a vontade de trabalhar contigo, e o convite que se seguiu, foi uma exposição que tu fizeste no Museu do Chiado – intitulada *Botânica* –, em que um conjunto de peças e a linguagem que elas convocam me interessou muito. E interessou-me fazendo um paralelismo com um conjunto de peças africanas que albergamos no Centro. São feitiços. Pareceu-me que a formulação das tuas peças era muito próxima destas.

Aquilo que me interessou não foi tanto a vertente mais crítica ou mais ideológica do trabalho, que obviamente é marcante e me interpela, mas foi a forma como concebes e constróis um conjunto de peças que são, por um lado, extremamente precisas, mas que, por outro lado, criam uma certa ambiguidade, que não é uma ambiguidade discursiva, é antes uma ambiguidade na formulação, propositada, portanto, voluntária, que

Conversation between Vasco Araújo and Nuno Faria

NUNO FARIA

To kick off the conversation, I'd like to outline the context and circumstances of this exhibition at the CIAJG – from my viewpoint as the Centre's programmer, rather than as the exhibition's curator. Your relationship with the Centre, like that of other artists, has been strengthened over time. In other words, I didn't immediately invite you to stage a solo exhibition, but instead asked you to produce an initial intervention, integrated within the permanent collection, which generated successive echoes until we both decided that we were interested in working together on a solo exhibition, conceived from scratch, producing works designed specifically for that space and context. The issue of context is indeed central because my programming in this space isn't designed for a white box. *It's designed for a space that has a very specific link to its host venue, that has its own collection – indeed a set of collections – put together by an artist who already has his own aesthetic and ideological roots, shall we say, experiential, existential roots, that are significantly marked by the question of the other, the strange and the familiar, of identity and history, crossing of various epochs, and individual and collective memory. I'm particularly interested to ensure that our programme is questioned, forging a dialogue with authorial universes that introduce noise, that pose questions, that converses in various manners with that which is there – not only with objects but also, and above all, with rhetoric, with devices that enable us to see the objects, in short, with a museological discourse. In this context what sparked my desire to work with you and my subsequent invitation, was an exhibition that you staged in the Chiado Museum – entitled* Botany *– in which I was highly interested in a number of works and the language that they inspire. And this interested me, due to a parallel with a number of African works that we house in the Centre – fetishes. It seemed to me that the formulation of your works was very close to these.*

What interested me wasn't so much the more critical or ideological aspect of the work, which is obviously striking and which challenged me. Instead it was the manner in which you conceive and build a set of works that are, on the one hand, extremely meticulous, but which, on the other hand, create a certain sense of ambiguity, which isn't a discursive ambiguity, but rather a deliberate ambiguity in its formulation and therefore voluntary. In terms of enunciation of the discourse this creates a disturbance and questions the spectator. I felt that this was very close to the impact that several of the works that we have on display – i.e. the African fetishes – have on spectators as they approach them. In this sense,

cria ao nível da enunciação do discurso uma perturbação e uma interpelação ao espectador. E isso a mim pareceu-me ser muito próximo da forma como algumas das peças que nós temos em exposição – refiro-me aos fetiches africanos – agem sobre quem as aborda, quem se aproxima delas. E, nesse sentido, a tua intervenção inicial, lado a lado com essas peças no contexto do Centro, foi, eu acho, extraordinariamente profícua e conduziu depois, com outras peças que mostraste, nomeadamente o vídeo *O Jardim*, a construção de um contexto fértil para começarmos a falar e a preparar as bases para a exposição que agora apresentamos.

Lançava-te o repto de falares sobre essa primeira intervenção, sobre essa primeira montagem, e depois a forma como as coisas evoluíram até à exposição de que obviamente falaremos mais tarde com maior profundidade.

VASCO ARAÚJO

Eu acho que tanto a exposição do Museu do Chiado como esta são exposições sequenciais. Interessa-me cada vez mais fazer exposições não tanto de *white cube* mas contextualizadas com outros objectos, com outras peças vindas de outros contextos, em termos de memória e consciência. Esta ideia da memória e da consciência é talvez aquilo que descobri mais recentemente, com os trabalhos que tenho andado a fazer, e encontra eco numa frase do Padre António Vieira, em que ele diz que «só nos podemos projectar no futuro se olharmos para o passado», que tanto pode ser interpretada de forma católica e repressiva, como de forma absolutamente inovadora e progressista e que aborda aquilo que os budistas dizem: vivemos no presente mas temos de nos projectar no futuro e olhar para o passado, que tem a mesma matriz de pensamento. Não sei se ele leu os budistas ou não, ou se eram pessoas diferentes, em contextos diferentes, a dizer as mesmas ideias, agora, para mim, essa é a coisa mais importante. E a arte hoje, para mim, tem esse desígnio; naquilo que eu faço tento o mais possível ir pegar no passado para falar sobre hoje e projectar-me no futuro.

E, nesse sentido, estas exposições e estas peças traduzem isso. A primeira intervenção no Centro foi precisamente isso – as peças de *Botânica* têm várias camadas de memória, uma memória mais recente e outra mais antiga, até a memória da própria natureza, a que frequentemente não ligamos, mas está perto de nós, está entre nós, domina-nos e influencia-nos. Até ideologicamente! Os jardins botânicos portugueses, o Jardim Tropical, e outros, são jardins extremamente ideológicos e políticos, e apesar de não parecer influenciar as pessoas, por se tratar de plantas, desenvolvem toda uma retórica que, sob uma aparência alegórica, é muito eficaz.

your initial intervention, side by side with these works, in the context of the Centre was, I think, extraordinarily successful and subsequently led to other works that you showed, in particular the video* The Garden. *This constituted a fertile context to begin talking and prepare the groundwork for the current exhibition.

I'd like you to discuss this first intervention, this first assembly, and then talk about the way things have evolved up until the exhibition, which of course we'll discuss later in greater depth.

VASCO ARAÚJO

I think that the Chiado Museum exhibition and this exhibition are linked sequentially. I'm increasingly interested in producing exhibitions that aren't intended for white cubes *but are instead contextualized with other objects, with other works from other contexts, in terms of memory and consciousness. This idea of memory and consciousness is perhaps what I discovered very recently, with the works that I have been producing, and is echoed in a sentence written by Father Antonio Vieira: "we can only project the future if we look at the past." This statement can be interpreted from a Catholic and repressive perspective and also from an absolutely innovative and progressive perspective, discussing what Buddhists believe – that we live in the present but have to project ourselves in the future while looking at the past, which is based on the same philosophy. I don't know if Father Antonio Vieira read any Buddhist teachings or whether they were simply different people in different contexts, advocating the same ideas. But for me this is the most important aspect. And art today, for me, has this objective. In my work, as far as possible, I try to use the past to talk about today and project myself into the future.*

In this sense, these ideas are conveyed within these exhibitions and works. The first intervention in the Centre was precisely that – the works displayed in Botany *have multiple layers of memory, a more recent memory and an older one, even the memory of nature – which we often don't care about, but which lies close at hand, is amongst us, dominates us and influence us. Even ideologically! Portugal's botanical gardens – the Tropical Garden, and others – are extremely ideological and political gardens, which although they don't appear to influence people, because they're only plants, develop an entire rhetoric which, under an allegorical appearance, is extremely effective.*

In this sense, the intervention produced in the Centre with the works from Botany, *which were presented simultaneously with the video* The Garden *– which is once again about nature and this memory-consciousness outlook, precisely because the* The Garden *comes from a garden that was built for the Exhibition of the Portuguese World, to house the pavilions of the former colonies, which in the wake of the 1974 revolution, were suddenly renamed as "tropical" gardens (the words "colonial" and "tropical" are terrible in the tradition of Western society, due to all the "isms" that they imply). My intervention in the Centre was that which we call* bang on.

G. BALSAMIFERUM (VERMOES) HARMS. — COPA

Foto: Abel P. Silva

Fac-Símile de Essências Florestais do Maiombe Português, Angola, Lisboa, Ministério do Ultramar
***Facsimile of Arboreous species from the Portuguese Mayombe, Lisbon, Ministério do Ultramar*, 1963**

In other words, in the sense that the collection that was created by an artist who also had a different awareness of the drama that played out, who fought in the war in Angola at the same time that he began collecting, a man who was extremely active during the 1974 revolution. One can't say that he viewed collecting as a form of exoticism, but it's extremely interesting to observe things from various perspectives and question ourselves in different ways. Because, ultimately, if we were to adopt a radical outlook, we could say that this collection shouldn't even exist, but since it is there, we need to realize how it may be contextualized, including the fact that it's located in a city considered to be the birthplace of the nation... So there are a number of things that immediately remind me of our recent past and, therefore, the memory that it conjures up.

In this sense, if it was necessary to contextualize the exhibition in the Chiado Museum with works sourced from the outside or from the Museum's collection. In this case the opposite occurred: the works from Botany *were incorporated within a collection that is much richer and more important, and suddenly the works are given a new form, a new perspective. Furthermore, due to the fact that my works are housed in the CIAJG, visitors can acquire a more in-depth understanding of my works or of the collection itself. And at present this is the way that I like to work and I don't want to work in any other manner.*

Our conversation will always revolve around the polarity that I previously mentioned: the context and circumstances of this intervention. However it is clear that it focuses above all on the linguistic formulation of your work. You're permanently working with language, whether in your sculptures, paintings, films, and,* a fortiori, *your sound works.

As I said, the first impulse that led me to ask you to exhibit your works from the Chiado Museum, was, much more than the intellectualized aspect of your discourse, the intuitive side, the almost hypnotic sex appeal that emanates from these works. And, to be precise, one of the issues that you mentioned was the influence that nature exercises on us – not only a physical influence, but above all an energy-based influence, which is constantly addressed, conjured up, in the fetishes contained within the CIAJG collection. The inspiration, the animist background underpinning these works is the main reason, I think, for their intensity, even beyond the context in which they were created, influencing the manner in which they are projected onto other spaces and how they continue to resonate today.

The discourse of the CIAJG is intimately associated to this question of energy in opposition to – and sometimes at the expense of – form. It was precisely this dimension that caught my attention. It's relatively rare in the Portuguese artistic context to find works that have such pre-linguistic intensity as these.

Nesse sentido, a intervenção realizada no Centro com as peças de *Botânica*, apresentadas em simultâneo com o vídeo *O Jardim* – que é mais uma vez sobre natureza e sobre esta disposição memória-consciência, porque precisamente *O Jardim* vem de um jardim que foi construído para a Exposição do Mundo Português, para albergar os pavilhões das antigas colónias, e passou de repente no 25 de Abril de «colonial» para «tropical» (estas duas palavras que são terríveis na tradição da sociedade ocidental, por todos os «ismos» que elas implicam) –, dizia eu, a intervenção no Centro foi aquilo a que se chama *na mouche*.

Ou seja, no sentido de uma colecção que é criada por um artista, ele próprio também com uma consciência diferente sobre o drama que se jogava, que estava na guerra em Angola na altura em que começou a coleccionar, um homem que foi extremamente activo na altura do 25 de Abril. Não se pode propriamente dizer que coleccionar era para ele uma espécie de exotismo, mas é extremamente interessante olhar de várias perspectivas e pormo-nos em causa de diferentes formas. Até porque, em último caso, se adoptássemos uma posição de radicalidade, poderíamos afirmar que aquela colecção não deveria estar ali, mas, estando ali, é preciso perceber como é que ela é contextualizada, que está numa cidade que é o berço da nação... Portanto, há uma série de coisas que me remetem imediatamente para o nosso passado recente e, por consequência, para a memória que esse passado convoca.

E, nesse sentido, se na exposição no Museu do Chiado foi necessário contextualizar a exposição com peças que vinham do exterior ou da colecção do Museu, aqui foi ao contrário: tratou-se de levar as peças de *Botânica* para dentro de uma colecção, que é muito mais importante e é muito mais rica, e de repente é dar outra forma às peças, outra forma de as ver. Ou ainda, pelo facto de as minhas peças estarem presentes no CIAJG, as pessoas poderão ter uma tomada de consciência mais aguda, quer sobre as minhas peças quer sobre a própria colecção. E essa é, neste momento, a minha forma de trabalhar, não quero fazer de outra maneira.

A nossa conversa vai sempre versar sobre a polaridade que referi anteriormente: o contexto e a circunstância desta intervenção. Contudo, é forçoso que se centre acima de tudo na formulação linguística do teu trabalho. Há permanentemente um trabalho sobre a linguagem, seja nas peças escultóricas, seja nas pinturas, nos filmes e, por maioria de razão, nas peças de som.

Como dizia, o primeiro impulso que me levou a desafiar-te a mostrar as peças do Museu do Chiado foi, muito mais do que a vertente intelectualizada do teu discurso, o lado intuitivo, o apelo sensual, quase hipnótico,

On the other hand, they are surgically constructed, in a continuous and delicate balance between each other. Your use of photography in the sculptures of the* Botany *series traced two axes: one of which made us think about history, fixation, photography as a normative construct, as a legal instrument, as a recording instrument; and the other which typified photography as something that is radically subjective and ghostly.

As the possibility of creating other imaginary universes.

Exactly. And that place harboured ghosts and history – which is an ancient narrative. But I found that your exhibition conjured up an encounter between two ways of dealing with objects (and with the biography of these objects): which was simultaneously intellectualized and intuitive. And, I believe that the main reason that led the artist José de Guimarães to collect these works – not yet in the context of his commission in Angola, when he primarily collected handicrafts, such as fishing traps, for example, but several years later, when he had already returned to Europe and the European market – was the discovery of the energy impregnated within those objects, that conjured up an exchange between entities (animal, natural and human).

And of nature!

I'd merely like to add that as a programmer I was obviously interested in the contradictory spirit and the "spanners in the works" that discourses such as yours bring to a context such as the Centre, but I'm also interested by the strategies that in some cases seem to me to be very similar – in the manner in which you question the spectator's body. And in this regard we come to a key issue, focusing on the solo exhibition that you conceived for the CIAJG and that embodies this book – the question of language – which lies at the core of your work.

I suggest that we begin, first and foremost, with the title of the exhibition, which constitutes an entire work programme, and that, since it is very precise, nonetheless refers to a kind of complexity, if not ambiguity, which then unfolds in space, in the manner in which the exhibition is assembled and showed to the viewer. Would you like to begin with the title?

First, it's the best title that I've ever had. Not because it's more harmonious or very interesting, but because it's the title that best sums up my work as a whole. If I can consider that my work is psychologically political, not in the strict sense of the word, but because it intervenes and challenges people at an intimate and interior level. In a way, it's always "too little and too late" to talk about things, because they have already

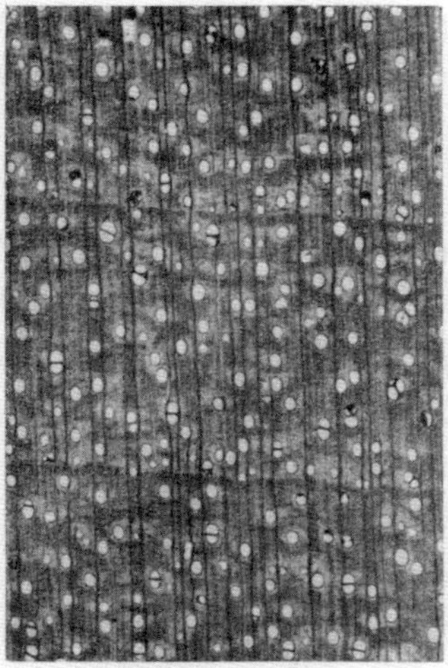

SECÇÃO TRANSVERSAL (X 10)

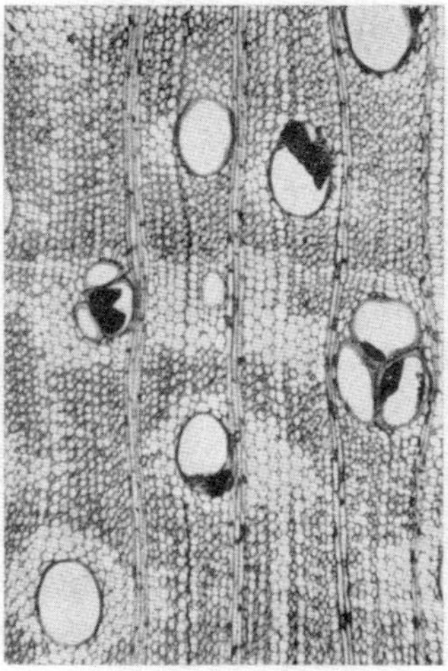

SECÇÃO TRANSVERSAL (X 60)

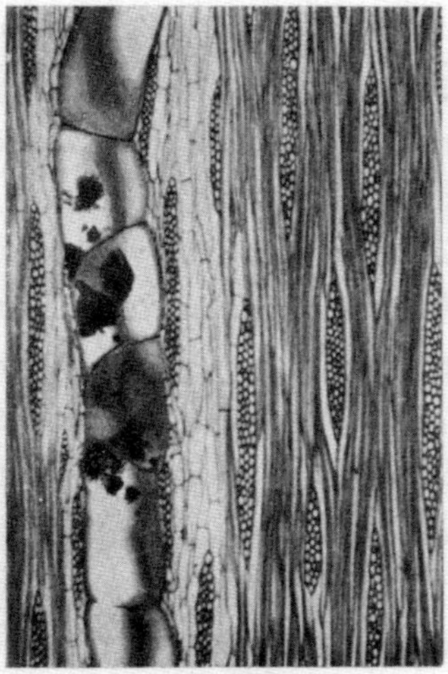

SECÇÃO TANGENCIAL (X 60)

SECÇÃO RADIAL (X 60)

Fotos: M. P. Ferreirinha

happened, and therefore, retrieving things is an excavation work. The most accurate English word is "digging", going to the bottom, which is a process of psychoanalysis: to dig, renovate, clean. This title is this, it refers to this. And I think our exhibition – I use the word "our" on purpose, exhibitions aren't made in isolation, and there was very fruitful dialogue, like things of nature. I only produced the work of Botany *because I've always been fascinated by plants and gardens, and have powerful childhood memories of visiting Sintra, Monserrate, with my parents, and for example collecting dried palm leaves. As I said, the exhibition is not only a critical gaze at the colonial past – it's a perspective of all this in the most intimate manner possible, which is domestic life, which is always the hardest perspective, even at the level of psychoanalysis. I mean, it's much easier to talk about a rape that happens outside, on the street, despite the fact that it's a terrible occurrence, than a rape perpetrated by a father against his daughter, or his son, which is equally terrible. This is much more complicated, because one can't speak, can't reveal, can't destroy a family. By contrast the other case is an external aggression, which took place in the public space, it's terrible but it's not as painful for the next of kin, for example for the mother. And, in this sense, the exhibition's title also refers to this relationship with the intimate sphere, with that which isn't spoken about. It's always too little and too late.*

That's very interesting because you're raising the issue of the unfolding of language, which in this case, via a metonymic process, creates a kind of echo, a translation, a representation of the mirror image of the strategy that underpins your work – to materialise language itself, to render it performative. In your case this assumes a truly central role and is achieved in an exemplary manner. And, from this point of view, starting with the title, as you astutely pointed out, in this exhibition the viewer is directed towards this experience of the unfolding of language. Right from the first room, which is the centre of the exhibition, the text as a material thing, but also as an intimate narrative of the story, as a first-person account, on the one hand appears in a vertical position on the wall, and on the other hand, appears on a table, in the horizontal plane. This unfolding is once again eloquent. It is meta-representative of the manner in which you refer to the importance of language in our lives – language constructs us, in fact.

Here, as in **Botany, *the figure of the table stands out, appears extemporaneously, seeming not to be out of place, as indeed it is – a dining room table in the exhibition space is displaced, but when we start to build our reading of the space of the exhibition's first room, by reading the texts that you present (whether in the canvases or inscribed on the table top) the table appears as the central space, the nerve centre, not only of the exhibition but of the entire colonial experience. How was the table built and what ghosts does it conjure up?***

que essas peças emanam. E, justamente, uma das questões de que falavas era a influência que a natureza exerce sobre nós – não só uma influência física, mas sobretudo energética, que está permanentemente problematizada, convocada nas peças de fetiche pertencentes à colecção do CIAJG. O fôlego, o fundo animista de que aquelas peças surgem é a principal razão, julgo eu, da intensidade que elas mantêm, mesmo fora do contexto em que foram criadas, influenciando a forma como se projectam noutros espaços e como continuam a ecoar ainda hoje.

O discurso do CIAJG está muito burilado a partir dessa questão da energia por oposição, e por vezes em detrimento, da forma. Foi justamente isso que me interpelou. É relativamente raro que no contexto artístico português haja peças com tanta intensidade pré-linguística como a que aquelas peças têm. Mas, por outro lado, elas são cirurgicamente construídas, num permanente e ténue equilíbrio entre ambas. O uso que se faz da fotografia nas esculturas da série *Botânica* desenhava dois eixos: um que remetia para a história, para a fixação, para a fotografia enquanto coisa normativa, enquanto instrumento legal, enquanto instrumento de inscrição, e, por outro lado, um eixo que convocava a fotografia enquanto algo radicalmente subjectivo e fantasmagórico.

Enquanto possibilidade de criação de outros imaginários.

Exacto. E aí encontravam-se os fantasmas e a história, que é uma narrativa antiga. Mas aquilo que achei é que a tua exposição convocava um encontro entre duas formas de lidar com os objectos (e com a biografia desses objectos): a um tempo, intelectualizada e intuitiva. E tenho para mim que a razão principal que levou o artista José de Guimarães a coleccionar estas peças – ainda não em contexto da comissão que fazia em Angola, altura em que juntou sobretudo peças de artesanato, como armadilhas de pesca, por exemplo, mas anos mais tarde, já regressado à Europa e no mercado europeu – foi a descoberta da energia daqueles objectos, que convocam um comércio entre entidades (animal, natural e humana).

E da natureza!

Acrescentar somente que enquanto programador me interessa obviamente o contraditório e os grãos na engrenagem que discursos como o teu trazem a um contexto como o do Centro, mas por outro lado interessam-me também as estratégias que, em alguns casos, me parece serem

G. BALSAMIFERUM (VERMOES) HARMS.
ASPECTO DA MADEIRA EM CORTE RADIAL

muito semelhantes na forma como interpelas o corpo do espectador. E aí chegamos a uma questão central, entrando já na exposição individual que concebeste para o CIAJG e que dá corpo a este livro, a questão da linguagem, que é o fulcro do teu trabalho.

Proponho começar, desde logo, pelo título da exposição, que é todo um programa de trabalho e que, sendo muito preciso, não deixa de convocar uma espécie de complexidade, para não dizer ambiguidade, que depois se desdobra no espaço, na forma como a exposição é montada e se oferece ao espectador. Queres começar pelo título?

Em primeiro lugar, é o melhor título que alguma vez tive. Não porque seja mais harmonioso ou muito interessante, mas porque é o título que melhor resume o meu trabalho como um todo. Se eu posso considerar o meu trabalho psicologicamente político, não no sentido estrito da palavra, é porque ele intervém sobre e interpela as pessoas no íntimo e no interior delas. De uma certa forma, é sempre demasiado pouco e demasiado tarde para falar sobre as coisas, porque elas já aconteceram e, portanto, ir recuperar coisas é um trabalho de escavação, a palavra inglesa é mais precisa – «digging» –, ir ao fundo, que é um processo da psicanálise: escavar, renovar, limpar. Este título é isto, remete para isto. E acho que a nossa exposição – digo nossa propositadamente, as exposições não se fazem só a um e houve um trabalho de diálogo muito profícuo, tal como estas coisas da natureza, eu só fiz este trabalho da *Botânica* porque desde sempre sou fascinado por plantas e por jardins, porque trago comigo a memória de infância de ir a Sintra, a Monserrate, com os meus pais e de recolher, por exemplo, folhas de palmeira secas –, como dizia, a exposição não é somente um olhar a criticar o passado colonial, é um olhar sobre isso tudo da forma mais íntima por que se pode olhar, que é a vida doméstica, que é sempre o mais difícil, mesmo em psicanálise. Quer dizer, é muito mais fácil falar de uma violação que acontece no exterior, na rua, apesar de ser horrível, do que de uma violação por um pai a uma filha, ou a um filho, é igual. Isso é uma coisa muito mais complicada, porque não se pode falar, porque não se pode revelar, destrói uma família. Pelo contrário, a outra é uma agressão exterior, que ocorre no espaço público, é terrível mas não é tão doloroso para aqueles que estão próximos, por exemplo para a mãe. E, nesse sentido, o título da exposição remete para isso também, para esta relação com o íntimo, com o que não se fala. É sempre demasiado pouco e demasiado tarde.

É muito interessante porque convocas uma questão que é o desdobramento da linguagem, que aqui opera, por metonímia, uma espécie de eco,

I think that the big surprise in the first room, when we set up the exhibition, was that those objects were household objects, returning to the question of intimacy, because they are decorative fabrics that could be used in curtains or sofas and there is a 3-metre long dining room table dinner. A dining room table makes me think about two things: a family reunion and also a place to sign treaties. And so this duality, which was already present in Botany, *as you correctly point out, conjures up many ghosts: who was sitting at the table, who served, who cleared up afterwards? – these two sides – the master and servant or slave (there are plenty nomenclatures for those who serve others). This is not only a political discourse but also a psychological discourse, because many stories circulate around a large table and these are the stories that we find there. I truly believe this: objects harbour memories – the memory of our actions, of our living experience inside a house, how we use them, everything is retained there. Hence, the words were superimposed on the fabrics, the words are written on the table, it's kind of formalization of this idea. Then there is another part of the exhibition, in the video,* The Portrait, *in which the objects speak – the pictures, the African statues, all those people talk, because all these people have memories, all these people imply a set of memories, a lived experience. If there is a portrait, even if it is imagined, it's because someone imagined that human being, in every detail. What remains is the portrait, and after a while we don't know whether or not the portrayed person ever existed. We find the same thing with the dining room table, with the African statues positioned below which, so to say, symbolize all those people, who over the centuries, have been raped, offended and massacred. And also those who raped, offended and massacred others. It's a historical record, and the discourse that is recorded on the table is about fear – the fear of existing in a place that isn't completely dominated.*

Or which can't be read, whose reading is opaque, elusive.

I don't know, and since I can't conceive living in a place governed by fear, I was struck by an extract from a text by Pepetela, who, as an Angolan citizen, when he writes fiction, is extremely familiar with the reality of his own country – I find it to be extraordinary that someone should live in a city in fear.

But the question of fear, from a psychoanalytic perspective, was already previously found in your work – the question of the other, the other in us. I find this to be a particularly intriguing aspect of your work in general and in this exhibition in particular. Opening up a parenthesis, I would once again like to say that I consider this exhibition to be surprisingly surgical, stripped to the bare essentials, well-proportioned and therefore very effective in the manner in which you convey what you want say. From a spatial perspective this exhibition firstly

uma tradução, uma representação de imagem em espelho do que é a estratégia do teu trabalho – materializa a própria linguagem, torna-a performativa. No teu caso isso é verdadeiramente central e feito de uma forma exemplar. E, desse ponto de vista, começando pelo título, como tu bem descodificas, nesta exposição o espectador é convocado para essa experiência de desdobramento da linguagem. Logo desde a primeira sala, que é o centro da exposição, o texto, enquanto coisa material mas também enquanto narrativa íntima da história, enquanto relato na primeira pessoa, por um lado surge na posição vertical, na parede, e por outro lado surge sobre uma mesa, no plano horizontal. Este desdobramento, mais uma vez, é eloquente, meta-representativo da forma como tu convocas a importância da linguagem na nossa vida – a linguagem constrói-nos, de facto.

Aqui, como em *Botânica*, irrompe portanto a figura da mesa, que surge de forma extemporânea, parecendo não estar no seu lugar, e de facto não está, uma mesa de sala de jantar no espaço expositivo surge deslocada, mas quando começamos a construir a nossa leitura do espaço da primeira sala da exposição, através da leitura dos textos que tu apresentas, quer nas telas quer inscritos sobre o tampo, a mesa surge como o espaço central, nevrálgico, não só da exposição como de toda a experiência colonial. Pergunto-te como aquela mesa foi construída e que fantasmas é que ela convoca?

Eu acho que na primeira sala, quando montámos a exposição, a grande surpresa foi aqueles objectos serem coisas domésticas, voltando à questão do íntimo, porque são tecidos de decoração, que podiam estar em cortinas ou em sofás, e há uma mesa de sala de jantar, com três metros de comprido. Uma mesa de sala de jantar convoca para mim duas coisas: é uma reunião de família e é também o lugar onde se assinam tratados. E, assim, esta dualidade, que já vem da *Botânica*, como bem dizes, traz imensos fantasmas: quem esteve sentado, quem serviu, quem limpou, estes dois lados, o senhor e o servo ou escravo (há imensas nomenclaturas para quem serve). Isto não é só um discurso político mas também um discurso psicológico, porque à volta de uma mesa circulam imensas histórias e são essas histórias que estão ali. Eu acredito profundamente nisto: os objectos são o sítio onde se retêm a memória – a memória dos nossos actos, da nossa vivência dentro de uma casa, como os usamos, fica lá tudo. Assim, as palavras estarem sobrepostas aos tecidos, as palavras estarem gravadas na mesa, é uma espécie de formalização desta ideia. Depois há uma outra parte da exposição que é, no vídeo *O Retrato*, a dos objectos a falar, os retratos, as estátuas africanas, toda aquela gente fala porque toda aquela gente tem memória, toda aquela gente implica

conjures up the objects (the first two rooms) and then conjures up the people. This constitutes a way of building history in a negative imprint. We will explore this concept later.

Turning to the question of the title, there is a general title – Too Little, Too Late *– and then all the other titles build a narrative. Let me explain: in the case of* Everything starts in dreams, *psychoanalysis is based primarily on the dreams that people have, and the perplexities and disruption that they feel by experiencing what they dream, because it is precisely this unconscious side that people, as rational animals, may use to justify a rape, for example – "I rape someone due to an unconscious act," and that's not all. This applies to all acts, to all the words we say to others. In the case of the title of the table,* Hell is not Others *– which is another principle of psychoanalysis, hell is actually ourselves – the way that we see and how we act. And then the case of* The Portrait, *which is many things at the same time – it's the portrait of a society, a country, an ideology, a person, of Western society in general. And then there's the case of the other two works – which I think we already started with* The Garden, *on the upper floor.*

The Girl of the Golden West is a kick in the stomach at the end of the exhibition. It's the worst of all. If all these exhibits refer to a past that many people never experienced and will never experience in the future, the other refers to things occurring at present, that lady is alive and is talking about herself, deep down, through the story

Bilhete Postal, Eduardo Osório, Editor, Angola, Luanda, n.º 469
Postcard, Eduardo Osório, Editor, Angola, Luanda, n.º 469

uma memória, uma vivência. Se há um retrato, mesmo que ele seja imaginado, é porque alguém imaginou aquele ser, de todas as formas, o que fica é o retrato, e passado um tempo nós não sabemos se o retratado existiu ou não. E é o mesmo que a mesa da casa de jantar com as estátuas africanas por baixo que, entre aspas, simbolizam todos aqueles que foram durante séculos violados, massacrados, ofendidos. Mas não só, que também violaram e ofenderam e mataram. É uma história e o discurso que está gravado na mesa é sobre o medo, o medo de existir num sítio que não se domina totalmente.

Ou que não se lê, cuja leitura é opaca, fugidia.

Não sei, eu como não concebo viver num sítio onde vivesse com medo, fiquei perplexo com um extracto de um texto do Pepetela, que escrevendo ficção muito daquilo é o que ele viveu e o que ele sabe sendo angolano – eu acho extraordinário alguém viver numa cidade com medo.

Mas a questão do medo, do ponto de vista psicanalítico, vem de trás no teu trabalho, a questão do outro, o outro em nós. Aquilo que me parece muito interpelante no teu trabalho em geral e nesta exposição em particular – e abrindo aqui um parêntese, dizer mais uma vez que considero esta exposição surpreendentemente cirúrgica, despojada, bem dimensionada e por isso muito eficaz na forma como diz o que quer dizer. Do ponto de vista espacial, esta exposição convoca primeiro os objectos (as duas primeiras salas) e depois convoca as pessoas. Há aqui uma construção da história em negativo. Falaremos deste conceito mais tarde.

Voltando à questão do título, há um título geral que é *Demasiado pouco, demasiado tarde* e depois todos os outros títulos constroem uma narrativa. Senão, vejamos: *É nos sonhos que tudo começa*, a psicanálise funda-se basicamente nos sonhos que as pessoas têm e nas perplexidades e perturbações que sentem ao viver aquilo que sonharam, porque é de facto nesse lado inconsciente que as pessoas, enquanto animais racionais, podem justificar uma violação, por exemplo – "eu violo por um acto inconsciente", e não só, todos os actos, as palavras que dizemos aos outros; depois, o título da mesa, *O inferno não são os outros*, que é outro princípio da psicanálise, o inferno somos nós, de facto, na forma como vemos e como agimos; e depois vem *O retrato*, que é muita coisa ao mesmo tempo, é o retrato de uma sociedade, de um país, de uma ideologia, de uma pessoa, da sociedade ocidental. E vem depois os outros dois trabalhos – sendo que eu penso que já se começou com *O Jardim*, no piso superior.

that she recounts. The Capita *is our head, it's that which we represent. If we analyse the titles, we have the summary of the entire exhibition.*

In most cases your work refers to narrative, it recounts stories using a language that corresponds to a montage, that is particularly aware of both the intrinsic narrative links of montage, and is also aware that a narrative always conjures up stories and History, with a capital "H".

History is made up of these little stories.

And we contribute to them every day. We are victims and actors of this history. And when we return to the exhibition, with the distance of the conversation, I think the exhibition is founded not only on the idea of language as performative element, of language as unfolding (of the body, of living experience, etc.), but also, at the same time, a notion which is also found within your work and which is simultaneously an operating concept that is dear to us in the work that we pursue at the Centre – the concept of the negative. In this case there is a kind of inverted reflection between the two parts of the exhibition that we have discussed, wherein in my opinion the second part is quite disturbing. It's a consequence of the first part and acts upon that which we have previously seen and experienced, acting on our personal or cultural memories – and we know that Portuguese society is still very marked by the experiential memory of the colonial past, in whichever form – negative or positive. The second part of the exhibition is truly disturbing for this reason, because it conjures up the question of the negative, concretely and also metaphorically. On the one hand, you are the one who is always the other, this transformist side of putting on the mask, on the other hand they are portraits placed upside down, head downwards, thus deliberately evoking an entire tradition of art history.

Also evoking the way the photo is represented inside the photographic camera.

And there is this question, which in my view is central – the question of photography – as immanence and as a mechanism. It makes us think about the shutter mechanism, which is a kind of beheading, that I think is very well constructed in the **Capita** ***series, once again exploring the question of ambiguity, i.e. of language.***

The Girl of the Golden West é um pontapé no estômago no fim da exposição, é o pior de todos. Se estes todos remetem para um passado que muitas pessoas não viveram e nunca mais vão viver, o outro ainda remete para coisas de agora, aquela senhora está viva e está a falar dela, no fundo, através da história que conta. O *Capita* é a nossa cabeça, é o que nós representamos. Se analisarmos os títulos temos o resumo da exposição toda.

O teu trabalho convoca na maior parte dos casos uma narrativa, contas histórias a partir de uma linguagem que é uma montagem e que está particularmente consciente não só dos nexos narrativos próprios da montagem, como está consciente de que uma narrativa convoca sempre histórias e convoca sempre também a História, com "H" grande.

A nossa história que é feita destas pequenas histórias.

E para a qual nós contribuímos quotidianamente. Somos vítimas e actores dessa história. E ao regressarmos à exposição com a distância da conversa, julgo que a exposição está fundada não só na ideia da linguagem enquanto coisa performativa, da linguagem enquanto desdobramento (do corpo, da experiência vivencial, etc.), mas também, ao mesmo tempo, numa noção que não é estranha ao teu trabalho e que é, simultaneamente, um conceito operativo que nos é caro no trabalho que fazemos no Centro, que é a noção de negativo. E aí há uma espécie de reflexão invertida entre as duas partes da exposição de que já falámos, sendo que a segunda parte é, na minha opinião, bastante perturbante. Ela é consequência da primeira parte e age sobre aquilo que vimos e vivemos anteriormente, agindo sobre as nossas memórias, pessoais ou culturais – e nós sabemos que a sociedade portuguesa está ainda muito marcada pela memória vivencial do passado colonial, seja de que forma for, em negativo ou em positivo. A segunda parte da exposição é verdadeiramente perturbante por isso, porque convoca a questão do negativo de forma concreta e também metafórica. Por um lado és tu que és sempre o outro, este lado transformista de colocar a máscara, por outro lado são retratos que estão de pernas para o ar, de cabeça para baixo, evocando, a propósito, todo um veio da história da arte.

E evocando também a forma como a fotografia se representa no interior da câmara fotográfica.

Not only – also the ambiguity of representation. I like this idea of exploring the negative, but I'd like to gain a clearer understanding of how you use the term.

On the one hand, the photographic negative, that which is latent and is seen in reverse. And also photography as a negative, as a ghost of an experiential memory.

Exactly, that's it. I like this idea of working with the idea of the negative, primarily because I think art is twisted reality, it provides us with another point of view, it shows us the other side; secondly, I'm interested to work with the idea of the negative, because it's always the possibility of showing the other – the different and the other that exists inside me – and that simultaneously provides the opportunity to find ourselves, psychoanalytically, in this inverted space.

I have always used photography in this perspective, to show something that can't be seen, an intimate situation. In this case – the Capita *– this involves using the discipline of photography and showing how photography was used from the beginning – photography was used scientifically to show that which couldn't previously be shown and one of the questions was to map the human being. In this sense this work constitutes a negative image, because it carries out an inversion in order to enable us to understand that any one of us could be in that position at any moment in time.*

Bilhete Postal, Eduardo Osório, Editor, Angola, Luanda, n.º 445
Postcard, Eduardo Osório, Editor, Angola, Luanda, n.º 445

E há essa questão que é uma questão-chave quanto a mim, que é a questão da fotografia – enquanto imanência e enquanto mecanismo. Remetes para o mecanismo de obturação, que é uma espécie de decapitação, que eu acho que é muito bem construída na série *Capita*, elaborando mais uma vez sobre a ambiguidade, da linguagem, entenda-se.

E não só, também a ambiguidade da representação. Eu gosto dessa ideia de trabalhar sobre o negativo, mas gostaria de perceber melhor em que sentido usas o termo.

Por um lado, negativo fotográfico, aquilo que está latente e que se vê em inversão. E também a fotografia enquanto negativo, enquanto fantasma de uma memória vivencial.

Exactamente, é isso. Eu gosto desta ideia de trabalhar em negativo, em primeiro lugar porque acho que a arte é a realidade torcida, dá um outro ponto de vista, mostra o lado de lá; em segundo lugar, interessa-me trabalhar em negativo porque é sempre a possibilidade de mostrar o outro – o diferente e o outro que há em mim –, e dá ao mesmo tempo a possibilidade de nos encontrarmos psicanaliticamente neste espaço invertido.

Sempre usei a fotografia nessa perspectiva, mostrar alguma coisa que não é vista, uma situação íntima. Neste caso do *Capita* é usar a disciplina da fotografia e mostrar como a fotografia foi utilizada desde o início – a fotografia foi usada cientificamente para mostrar aquilo que não era passível de ser mostrado e uma das questões era mapear a raça humana. Nesse sentido esse trabalho é em negativo porque procede a uma inversão para que compreendamos que qualquer um de nós pode estar naquela posição a qualquer momento.

Na minha opinião, há dois grandes veios no teu trabalho: um deles é aquele que aborda a história colonial a partir de uma perspectiva doméstica, entre muros, e a forma como se jogam as tensões num contexto de civilização e não de barbárie; o primeiro convive misteriosamente com o segundo, aquele que se dedica às narrativas da antiguidade, as narrativas antes da história. Eu acho que o ponto em que se encontram é estarem ambas em zonas de sombra, no sentido em que não se inscrevem ou se inscrevem em negativo, psicanaliticamente. Como os sonhos, como essa dobra do discurso que é o inconsciente. Desse ponto de vista, a forma como constróis uma narrativa encontra-se nesse ponto cego em que as histórias parecem vir de um outro tempo e de um outro lugar que se materializam, consubstanciam

In my opinion, we encounter two main currents in your work: one that deals with colonial history from a domestic perspective, between four walls, and the other that explores how tensions play out in a context of civilization, rather than of barbarism. The first mysteriously coexists with the second. One is dedicated to the narratives of antiquity, narratives that date back to before written history. I think that in their meeting point they both lie in shadow areas, to the extent that they are not recorded or are recorded as a negative image, psychoanalytically. Like dreams, with this doubling of the discourse that is the unconscious. From this point of view, the way that you build a narrative lies in that blind spot, in which stories seem to come from another time and another place that are materialised, embodied in the context of the relationship between the viewer and the work, which is a constructed utopian place. There is a dimension in your work that lies beyond language and beyond history, which particularly interests me, to the extent that the first exhibition at the CIAJG was called **Beyond History.**

First of all, I think that the CIAJG, and almost all museums, are always museums of mankind and about man. In relation to those aspects of my work, I don't see them as two distinct currents, because I unite them, I tend to join them together. And where do I unite them? In terms of that which really interests me in my work – the question of the human being. And this question is built in two ways. First, in confrontation with the other and in a mirror form (which is also an other). In a mirror form because it has to be noted, it's necessary to become aware of what it is, but with a problem that is always to see things in reverse – there is never any complete recognition; and secondly, the other, who is also the one who defines us, the person who is physically different in many respects, who has a different colour, different language, different height, different nationality. And where am I going to find this in its most pragmatic and archetypal form? It is precisely in these ancient stories that you're talking about – the Greek tragedies, the so-called classics that come before history. Because they already contain everything, have everything that we've just been talking about – this mirrored relationship, this psychological relationship, the relationship with the other, the clashes, the great wars, the great betrayals, the great loves, the disappointments, everything's there. The only thing that is different in comparison with the present day is that we now live in homes and travel in more modern vehicles, we have air conditioning equipment, Internet and so on. Otherwise, we continue to do everything in exactly the same way, we betray others in the same way, we kill in the same way, we die in the same way. And, furthermore, the reasons are the same. With slightly different technological and ideological issues, but essentially it's the same thing.

And in that sense I think this is the narrative thread underpinning my work – since I'm like an opera singer talking about my intimate world, i.e. about her intimate world, in the video work, La Stupenda; *like a table on which fear is inscribed. Both*

no contexto da relação entre espectador e obra, que é um lugar construído, utópico. Há no teu trabalho uma dimensão para lá da linguagem e para lá da história, o que me interessa particularmente na medida em que a primeira exposição do CIAJG se chamava *Para além da História*.

Antes de mais, eu acho que o CIAJG e quase todos os museus são sempre museus do homem e sobre o homem. Relativamente a essas vertentes do meu trabalho, eu não as vejo como dois veios porque os uno, tenho tendência para uni-los. E uno-os onde? Naquilo que realmente me interessa falar no meu trabalho, que é o ser humano, que se constrói de duas maneiras: primeiro, em confronto com o outro e em espelho (que é também um outro), em espelho porque tem de se observar, tem de tomar consciência daquilo que é, mas com um problema que é ver-se sempre ao contrário – não há um reconhecimento total, nunca; e, segundo, o outro, que é também quem nos define, aquele que é fisicamente diferente em vários aspectos, que tem a cor diferente, a língua diferente, a altura diferente, a nacionalidade diferente. E onde é que eu vou buscar isto da forma mais pragmática e arquetípica? É precisamente a essas histórias antigas de que falas, que são as tragédias gregas, os chamados clássicos que vêm antes da história. Porque já têm lá tudo, têm isto de que estava a falar: esta relação em espelho, esta relação psicológica, a relação com o outro, os confrontos, as grandes guerras, as grandes traições, os grandes amores, os dissabores, está lá tudo. A única coisa que é diferente para os dias de hoje é que nós hoje vivemos em casas e viajamos em carros mais modernos, temos ares condicionados, temos Internet, e por aí fora. De resto, continuamos a fazer tudo exactamente igual, atraiçoamos da mesma maneira, matamos da mesma maneira, morremos da mesma maneira. E, ainda por cima, as razões são as mesmas. Com questões tecnológicas e ideológicas ligeiramente diferentes, mas é essencialmente a mesma coisa.

E nesse sentido acho que o fio condutor do meu trabalho é isto – sendo eu como cantora de ópera a falar da minha intimidade, salvo seja, da intimidade dela, no trabalho em vídeo *La Stupenda*; como uma mesa em que está inscrito o medo. Ambos têm medo, ambos são seres humanos. Isto como um grande círculo. Depois pode haver essas duas linhas narrativas para construir o trabalho, mas o que domina o trabalho é a questão do medo, porque é o sentimento que domina o homem desde sempre.

Medo de desaparecer, em última instância. Quase poderíamos dizer que no teu trabalho a grande história é a grande ficção: a ópera, as grandes narrativas mitológicas...

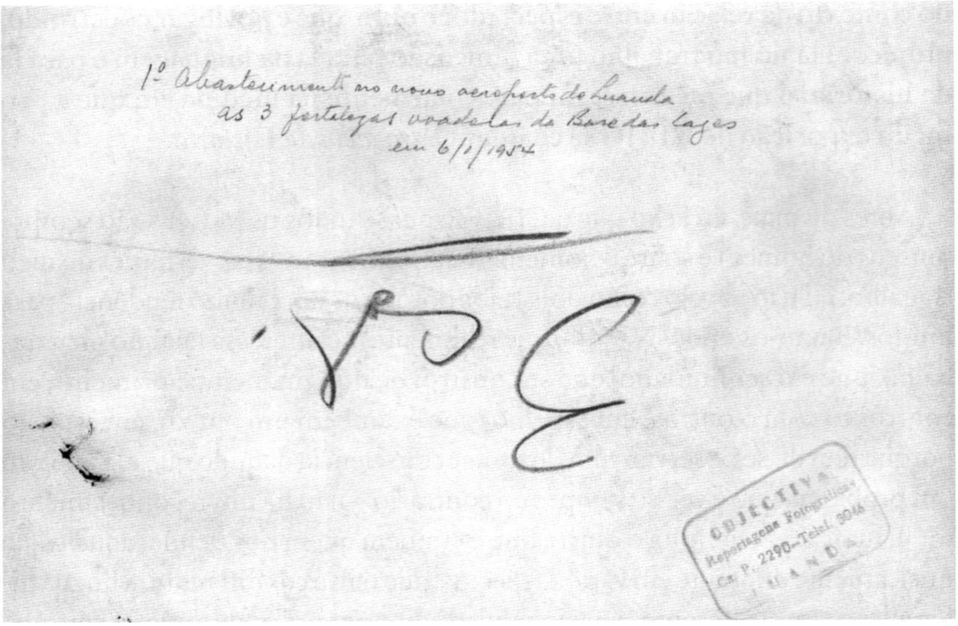

are afraid, both are human beings. This is like a big circle. Then there may be these two narrative lines to build the work, but what dominates the work is the question of fear, because it is the feeling that has always dominated man since time immemorial.

The fear of disappearing, ultimately. We could almost say that in your work the main story is that of great fiction: of opera, the great mythological narratives...

*In fact I always say that there is no reality, it's all a play [*laughs*].*

We're here talking to each other because we master the same language, but that was a convention and is a staged act. Because if we had different languages, we wouldn't communicate in this manner.

Aliás, eu digo sempre que não há realidade, é tudo uma encenação [*risos*]. Nós estamos aqui a falar um com o outro porque dominamos a mesma linguagem, mas isso foi uma convenção e é uma encenação. Porque se tivéssemos linguagens diferentes não comunicávamos desta forma.

Base militar no Congo Belga, Carro da Mobilgas a abastecer avião, Congo (Autor desconhecido, Colecção Particular, Portugal)
Military base in the Belgian Congo – Mobilgas Car supplying aircraft, Congo, 1954 (Unknown author, Private Collection, Portugal)

Fac-Símile de Uma nova raça nas zebras de Angola (A. Taborda de Morais), in: Boletim do Instituto de Angola, n.º 9, Janeiro/Junho, 1957
Facsimile of A new breed of zebras in Angola (A. Taborda de Morais), in: Boletim do Instituto de Angola, n. 9, January/June, 1957

Estampas

Explicações e legendas da estampa I

Espécie — **Equus zebra L.**

raça — **Equus zebra hartamannae**

n. v. Zebra da montanha — Zebra do deserto

Esta raça está em vias de extinção.
Trancrevo de Stokes, Sanctuary, 1941, pág. 120.

«A zebra da montanha estava em grave perigo de extinção, mas esse perigo passou graças à reserva que para ela criou o Governo da União.

A reserva, situada a 129 km a oeste de Cradock, importante cidade da Província do Cabo, tem pouco mais de 1.416 km2 de extensão.

Um desfiladeiro extenso e profundo, ocupa esta região montanhosa na qual predomina a vegetação arbustiva em parte dela.

A zebra, que já era rara, aqui se estabeleceu, mas, até ao presente, com pequena expansibilidade.

Há algumas décadas a zebra da montanha existia aos milhares na Africa do Sul; hoje, porém, na Província do Cabo — onde a variedade também foi encontrada, não haverá mais de 50 indivíduos».

«A protecção à Natureza não surgiu bastante a tempo na Africa do Sul, pois se houvesse sido estabelecida seis ou sete décadas mais cedo muito provàvelmente teria permitido a sobrevivência da quagga. Assim, o insaciável apetite da caça fê-la desaparecer da face da Africa, onde era indígena, e como não tinha habitat noutros continentes extinguiu-se.

A quagga que morreu em 12 de Agosto de 1883 no Jardim Zoológico de Amesterdão era o último representante deste ramo da família das zebras».

Em Angola também o diploma legislativo n.º 2873 de 11 de Dezembro de 1957 concede, hoje, a esta raça, protecção absoluta, pois ficou incluída entre aquelas que «Não podem constituir objecto de caça» (art.º 5.º do referido diploma).

Fotos:
a primeira, do Ex.mo Sr. Dr. Santos Pereira representa um indivíduo do sudoeste de Angola;
a segunda, feita na Africa do Sul, é reprodução de Stokes, in Sanctuary.

ESTAMPA I

Explicações e legendas
da
estampa II

Espécie — **Equus quagga**

a) raça — **Equus quagga intermedia** Taborda Morais

b) raça — **Equus quagga chapmanni** Layard

n. v. Zebra imperial — Zebra do planalto

O exemplar da esquerda é da *E. quagga intermedia* como pode reconhecer-se na linha média da garupa. (Cf. estampas V e VI).

Os dois exemplares da direita pertencem à *E. quagga chapmanni* (Cf. estampa VI).

O terreno da fotografia é, tipicamente, o das dambas (Cf. nota infrapaginal de pág. 67, com seus limites visíveis no horizonte.

A linda fotografia que aqui reproduzimos devemo-la à gentileza do Exmo Sr. Newton da Silva, amabilidade pela qual aqui lhe deixamos os nossos agradecimento.

Explicações e legendas
da
estampa III

Espécie — **Equus quagga**

raças — **Equus quagga chapmanni** Layard
e
Equus quagga intermedia Taborda Morais

Nesta manada de zebras da África do Sul, fotografada no parque Krugger, verifica-se o predomínio da *Equus quagga chapmanni* e, entre esta, a existência, pelo menos, dum indivíduo da *Equus quagga intermedia* assinalado com uma seta (Cf. estampas II, V e VI).

Demonstra-se assim que a ocorrência da *Equus quagga intermedia*, vai além de Angola, pelo menos até à África do Sul.

Esta estampa é reprodução duma gravura de Stokes, in Sanctuary.

ESTAMPA III

Explicações e legendas
da
estampa IV

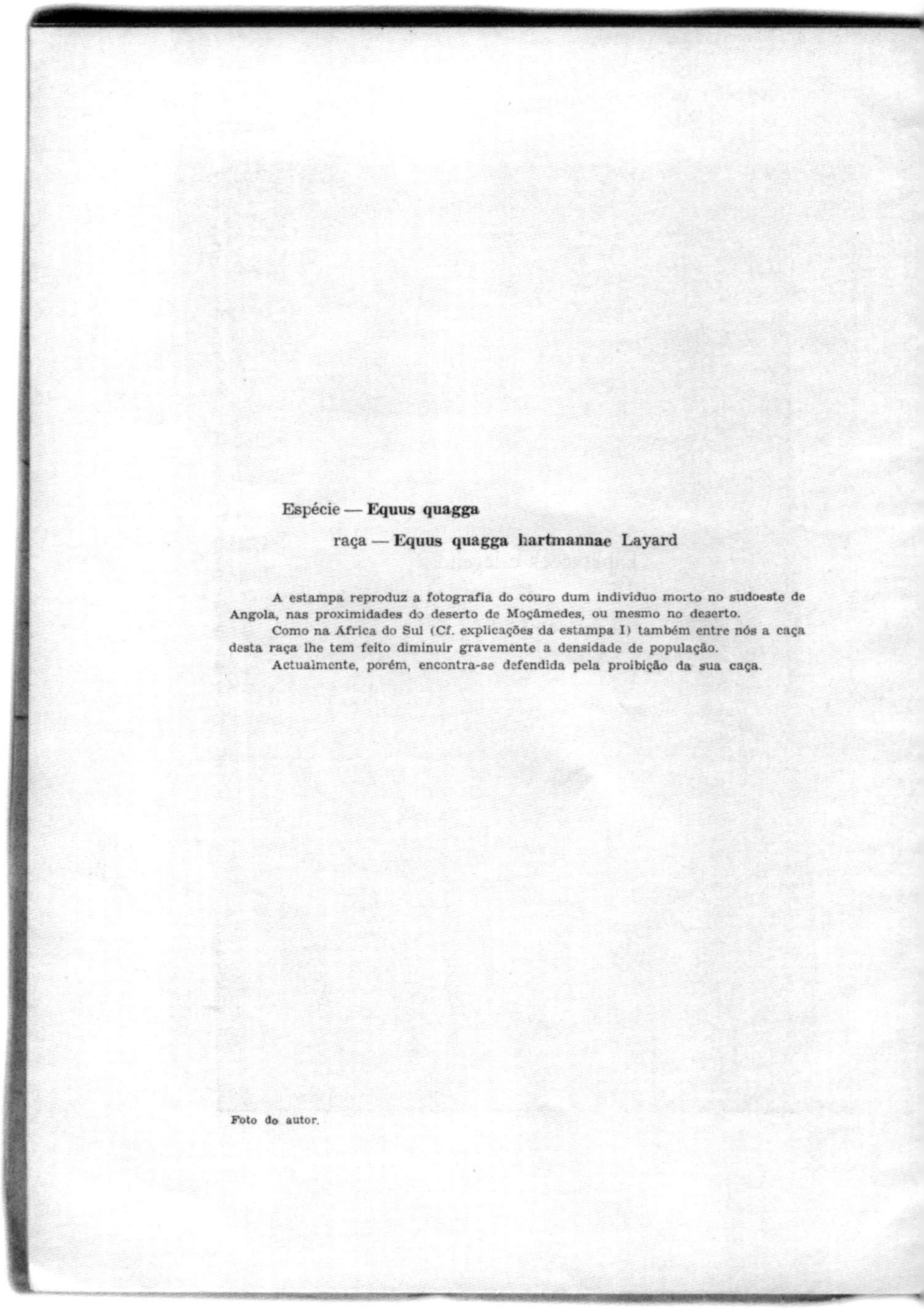

Espécie — **Equus quagga**

raça — **Equus quagga hartmannae** Layard

A estampa reproduz a fotografia do couro dum individuo morto no sudoeste de Angola, nas proximidades do deserto de Moçâmedes, ou mesmo no deserto.

Como na África do Sul (Cf. explicações da estampa I) também entre nós a caça desta raça lhe tem feito diminuir gravemente a densidade de população.

Actualmente, porém, encontra-se defendida pela proibição da sua caça.

Foto do autor.

ESTAMPA IV

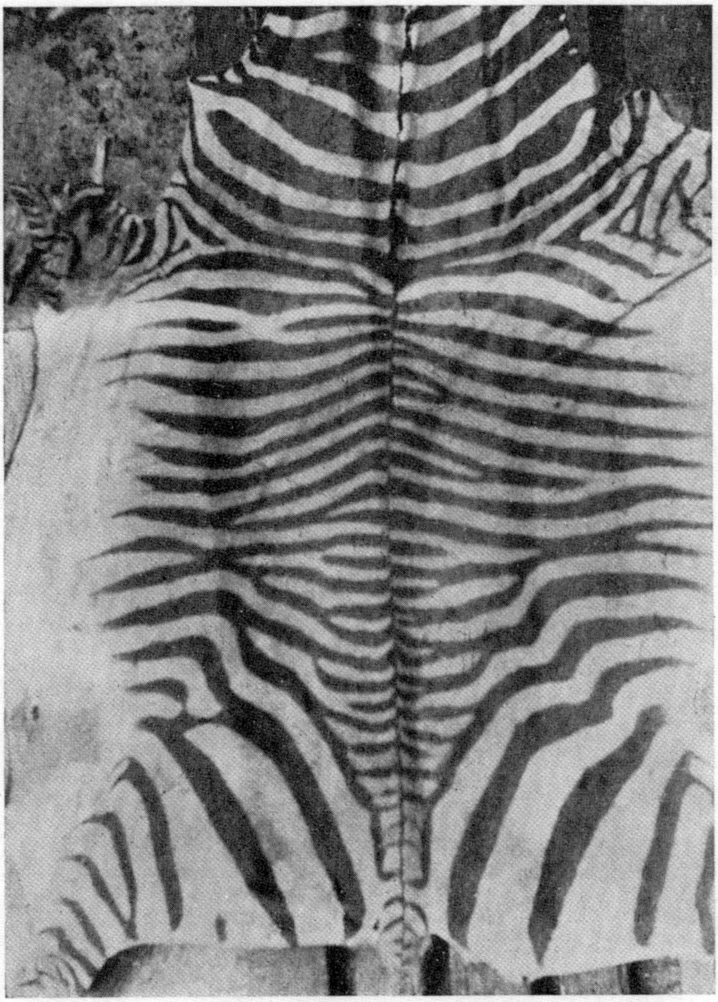

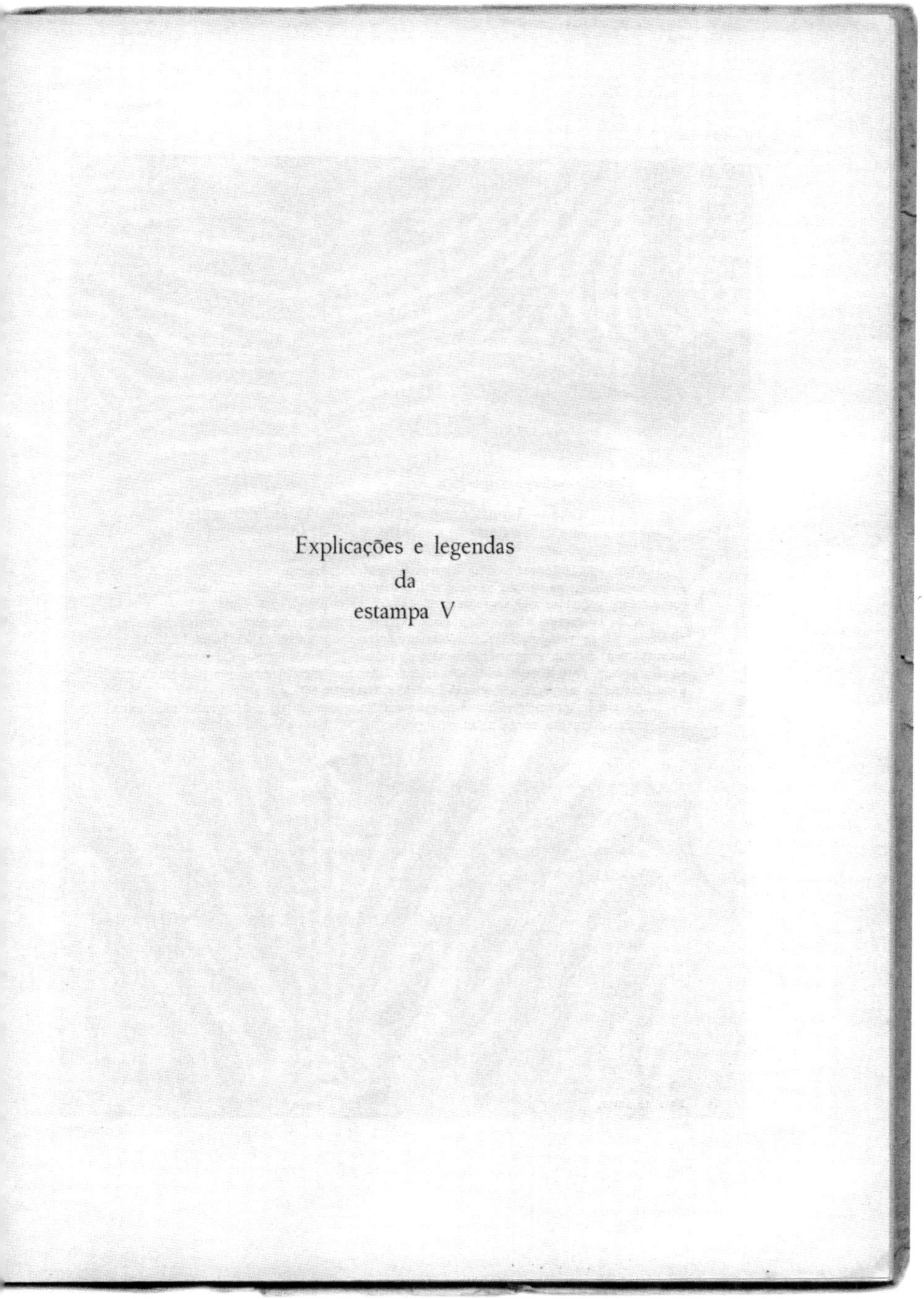

Explicações e legendas
da
estampa V

Espécie — **Equus quagga**

raça — **Equus quagga intermedia** Taborda Morais

Com esta fotografia dum couro de indivíduo morto no sudoeste de Angola se exemplifica a disposição característica das riscas na linha média da garupa, tal como foram referidas no texto (pág. 69).

E do confronto dela com a doutro indivíduo da mesma raça representada na estampa VI se pode avaliar também um pouco da extensão da variabilidade ou inconstância da sua expressão fenotípica, para o que, dos quatro casos estudados, se escolheram, para a documentação, os dois extremos, inconstância que já assinalamos e criticamos na respectiva diagnose racial (Cf. a pág. 69).

As riscas intermédias de coloração existiam, ainda que a fotografia não tenha dado, suficientemente, conta delas.

Foto do autor.

ESTAMPA V

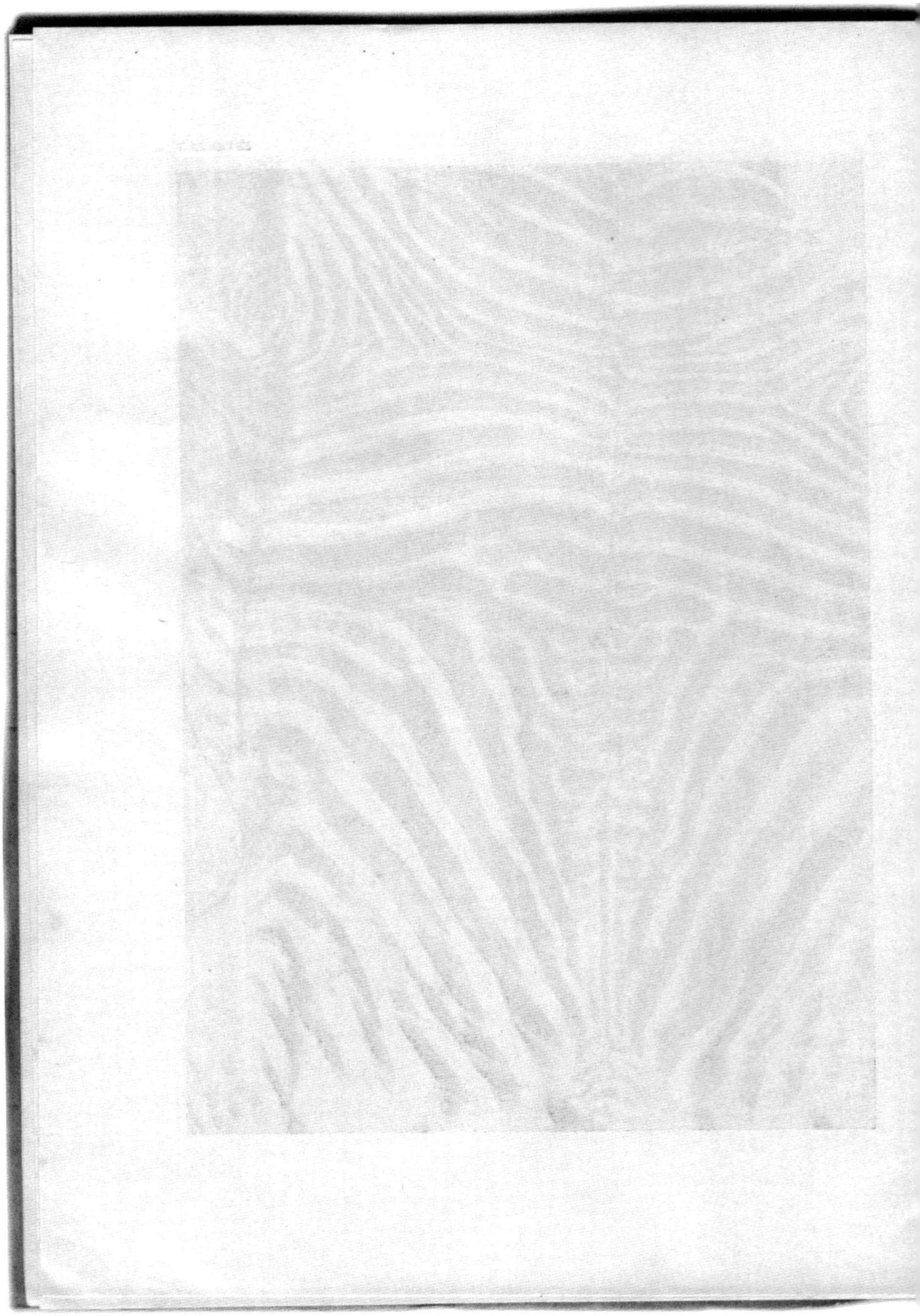

Explicações e legendas
da
estampa VI

Espécie — **Equus quagga**

raças — **Equus quagga intermedia** Taborda Morais
(à direita)

Equus quagga chapmanni Layard
(à esquerda)

Pretende-se dar uma documentação dos tons respectivos na coloração das riscas e, quanto à *Equus quagga intermedia*, também, em confronto com a estampa V, uma noção da grandeza da variação no aspecto das riscas transversais medianas da garupa, característica racial assinalada (Cf. texto a pág. 69).

Fotos a cores do autor.

ESTAMPA VI

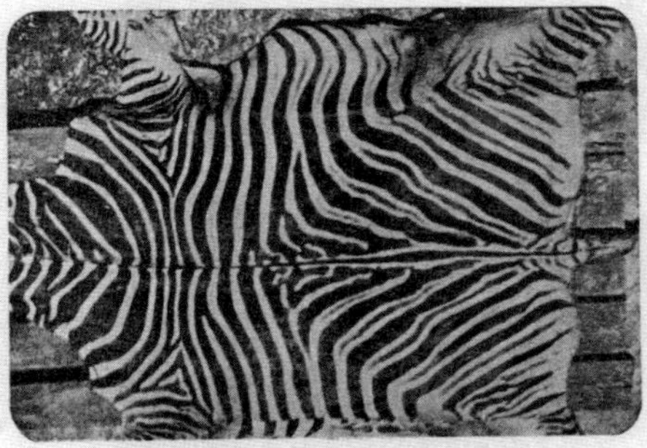

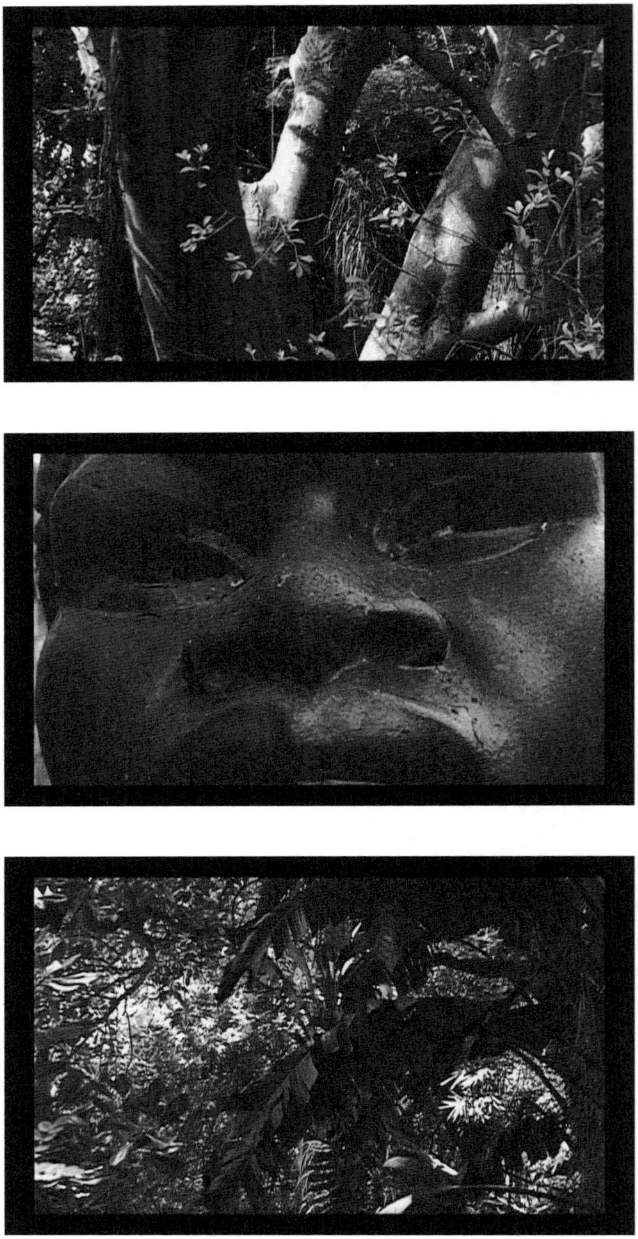

O Jardim
***The Garden*, 2005**

O Jardim

Texto estabelecido a partir de excertos das obras Ilíada e Odisseia de Homero.

1.º Homem – Ai de mim, a que terra de homens mortais chego de novo? Serão eles homens violentos, selvagens e injustos? Ou serão dados à hospitalidade e tementes aos deuses... Será que estou perto de homens dotados de fala? Mas coragem, eu próprio farei a experiência de ver...desprovido de siso e de valor é aquele homem que desafia para contendas atléticas quem o recebe em terra estrangeira: em tudo só a si mesmo se prejudica. Mas de entre todos os outros, nenhum eu menosprezarei nem recusarei; mas quero conhecê-los, pô-los à prova, corpo a corpo. Mas desde já declaro ser eu o melhor: de todos quantos são mortais e se alimentam de pão. Porém não quereria rivalizar com homens do passado.

1.ª Mulher – Quem és e donde vens? Que cidade é a tua? Quem são teus pais?

1.º Homem – Homem Duro! Que muitos homens chacinou em combate tremendo em terra estrangeira.

1.ª Mulher – Ó homem duro a ti te dirijo palavras apetrechadas de asas: Os deuses bem-aventurados não gostam de actos injustos, mas apreciam a justiça e as boas acções dos homens. Homens hostis e ímpios, que vão para a terra estrangeira, onde Deus lhes concede despojos de piratas, e com as naus repletas regressam às suas casas – até esses sentem no espírito o medo da vingança divina. A Terra não alimenta nada de mais frágil que o homem, de tudo quanto na terra respira e rasteja. O homem não pensa vir a sofrer o mal no futuro, enquanto os deuses lhe concedem valor e joelhos resistentes. Mas quando os deuses bem aventurados lhes dão sofrimento também isto ele aguenta com tristeza e coração paciente.

Por isso, que nenhum homem seja alguma vez injusto! Que resguarde em silêncio o que os deuses lhe concederem... esbanjam a riqueza de outro homem e desrespeitam-lhe a mulher.

1.º Homem – Chamar-me-ia um cobarde e uma nulidade, se tivesse de te ceder naquilo que me ordenas. A outros dá as tuas ordens, mas não penses mandar em mim. Pois penso nunca mais te obedecer.

2.ª Mulher – Mas eu gostaria também de interrogar o estrangeiro, donde ele veio, que terra diz ser a sua, onde tem os parentes e quais os campos da sua pá-

The Garden
Text established from excerts from Homer's Illiad and Odyssey.

1st Man – *Man of misery, whose land have I lit on now? What are they here? Violent, savage, lawless? Or am I really close to people who speak my language? Up with you, see how the land lies, see for yourself now... He'd have to be good-for-nothing, senseless, yes, to challenge his host and come to grips in games, in a far-off land at that. He'd cut his own legs short. But there are no others I'd deny or think beneath me – I'll take on all contenders, gladly, test them head-to-head! Of the rest I'd say that I outclass them all – men still alive, who eat their bread on earth. But I'd never vie with the men of days gone by.*

1st Woman – *Who are you? Where are you from? Your city? Your parents?*

1st Man – *(Brave) Man of tactics! That in foreign land always charges ahead giving ground to no one in his fury.*

1st Woman – *(Brave) Man of tactics I winged a word to you:*
The blessed gods have no love for crimes. They honor justice, honor the decent acts of men. Even cutthroat bandits who raid foreign parts, and God grants them a healthy share of plunder, ships filled to the brim, and back they head for home, even their dark hearts are stalked by the dread of vengeance. Of all that breathes and crawls across the earth, our mother earth breeds nothing feebler than a man. So long as the gods grant him power, spring in his knees, he thinks he will never suffer affliction down the years. But then, when the happy gods bring on the long hard times, bear them he must, against his will, and steel his heart.

And so, I say, let no man ever be lawless all his life, just take in peace what gifts the gods will send... carving away at the wealth, affronting the loyal wife of a man.

1st Man – *What a worthless, burnt-out coward I'd called if I would submit to you and all your orders, whatever you blurt out. Fling them at others, don't give me commands!*

2nd Woman – *But about the stranger I also would have some questions. Where does he come from? Where's his country, his birth, his father's old estates? So the Virgin lavished a marvelous splendor on the prince so the people all gazed in wonder as he came forward.*

1st Man – *Tramping about the word – there's nothing worse for a man. But the fact is that men put up with misery to stuff their cursed bellies. I too once lived in a lofty*

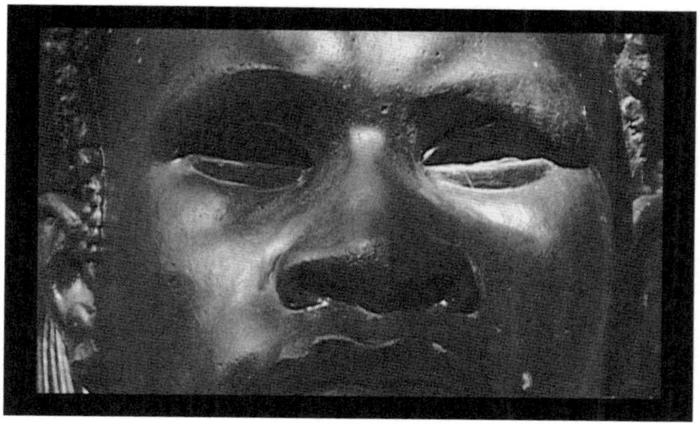

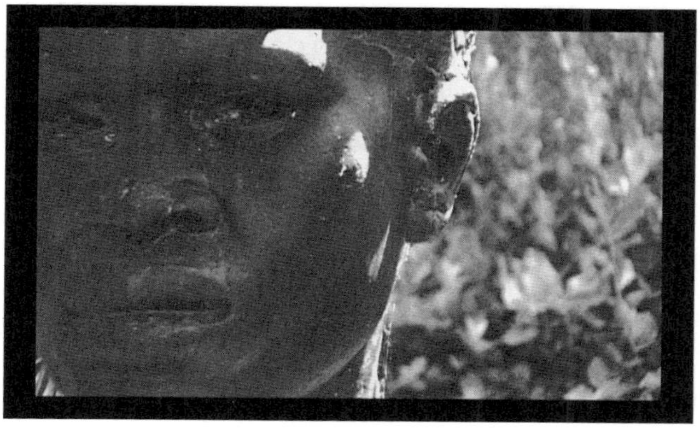

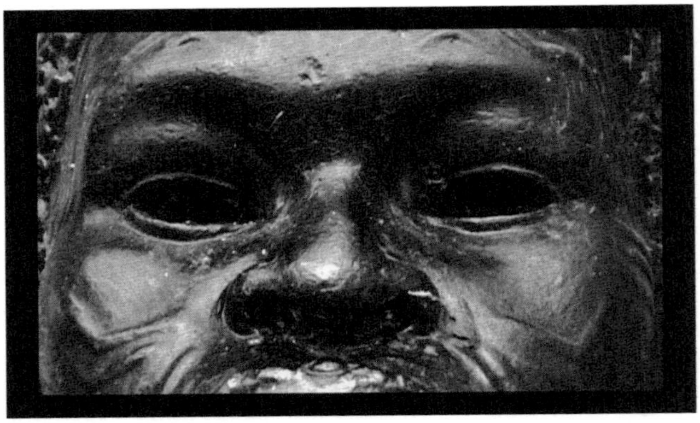

tria. Pois admirável é a graciosidade que sobre ele derramara a virgem: à sua passagem todos o olharam com espanto.

1.º Homem – Para os mortais nada é pior que não ter onde dormir; contudo por causa do estômago maldito muitos homens sofrem desgraças, quando se lhes impõe a errância, a tristeza e a dor. Também eu vivi outrora entre os homens, em casa própria: Homem rico, em casa abastada. E muito dei eu a viandantes, fossem eles quem fossem, cada um com a sua necessidade. Servos também eu tinha em grande número e todas as coisas em abundância, com que se vive bem e se é considerado rico.

2.º Homem – Quem és tu, valentão, dentre os homens mortais? Pois antes nunca te vi na peleja exaltadora de homens. Porém agora sais muito à frente de todos os outros na tua audácia e aguardas a minha lança de longa sombria. Filhos de infelizes são os que se opôem à minha força. Mas se és um dos imortais que desceu do céu, não seria eu a combater contra os deuses celestiais!.

1.º Homem – Na verdade rir-se-ão ao pensarem que combates na linha da frente porque és belo de corpo, a despeito de te faltar força de espírito e coragem. Pois eu não tenho semelhança com os imortais, que o vasto céu detêm, quer pelo corpo quer pela natureza, mas sim com os mortais que no peito tem a força inquebrantável da coragem.

2.º Homem – Não me ponhas à prova como se eu fosse um rapaz franzino ou uma mulher, que nada sabe de façanhas guerreiras. Conheço bem as batalhas e as matanças dos homens. Sei manejar para a direita e para a esquerda o meu escudo de couro curtido: é isso que considero pelejar como deve ser. Sei investir contra a chusma de carros puxados por éguas velozes; e sei executar em cerrado combate a dança furibunda. Mas pela pessoa que és não te quero ferir desprevenido, mas de forma frontal, se acaso tal me for concedido.

3.º Homem – Eu também a ti me dirijo, entre os quais serás morto, se ousares enfrentar a minha lança comprida, que rasgará o lírio da tua carne. E logo irás empanturrar os cães e as aves de rapina com o teu sebo e as tuas carnes. Não será por mais tempo que nos evitaremos nos diques da Guerra. Aproxima-te para que atinjas depressa os nós do morticínio.

2.ª Mulher – Depois que se armaram, cada um do seu lado da turba, avançaram ambos para o meio, ávidos de pelejar, lançando olhares terríveis. Mas

house that men admired; rolling in wealth, I'd often give to a vagabond like myself, whoever he was, whatever need had brought him to my door. And crowds of servants I had, and lots of all it takes to live the life of ease, to make men call you rich.

2nd Man – *Who are you, my fine friend? Another born to die? I've never noticed you on the lines where we win glory, not till now. But here you come, charging out in front of all the rest with such bravado – daring to face the flying shadow of my spear. Pity the ones whose sons stand up to me in war! But if you are an immortal come from the blue, I'm not the man to fight the gods of heaven.*

1st Man – *Why, must be roaring with laughter! They thought you the bravest champion we could field, and just because of the handsome luster on your limbs, but you have no pith, no fighting strength inside you. I'm nothing like the immortal gods who rule the skies, either in build or breeding. I'm just a mortal man who has power courage in the breast.*

2nd Man – *Don't toy with me like a puny, weak-kneed boy or a woman never trained in works of war! War – I know it well, and the butchery of men. Well I know, shift to the left, shift to the right my tough tanned shield. That's what the real drill, defensive fighting means to me. I know it all, how to charge in rush of plunging horses. I know how to stand and fight to the finish, twist and lunge in the War-god's deadly dance. Big and bluff as you are, I've no desire to hit you sniping in on the sly, I'd strike you out in the open, strike you now!*

3rd Man – *I also would like to say, you will die with the rest, if you have the daring to stand against my heavy spear its point will rip your soft warm skin to shreds! Then, then, you'll glut the dogs and the birds with your fat and flesh. No more delay, dodging each other down the passageways of the battle! Quick, charge me – the sooner to meet your death!*

2nd Woman – *Both men armed at opposite sides of the forces, into the ring they strode and met, burning for battle, glances menacing, wild excitement seizing all their comrades. And just coming in range, just closing on each other… they made three rapid charges, three lunges and then – The first stabbed through the other round balanced shield but failed to reach his flesh – saved by the breastplate just behind the buckler! But now the other thrusting over the gaint's massive shield, again and again, threatened to graze his throat – the spearpoint glinting sharp. Their backbones creaked as scuffling hands tugged for submission-holds and sweat streamed down their spines and clusters of raw welts broke out on ribs and shoulders slippery, red with blood, and*

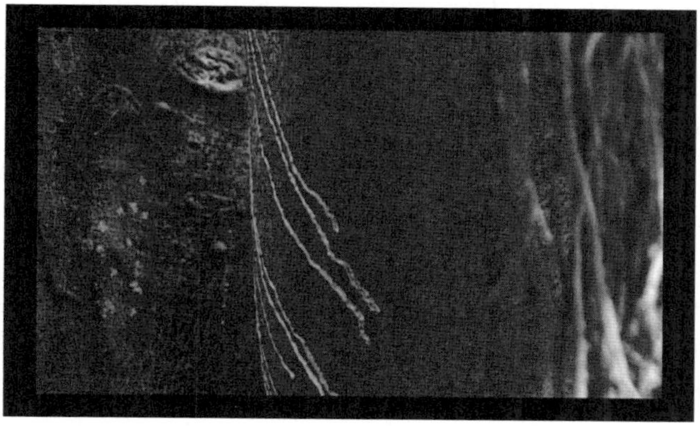

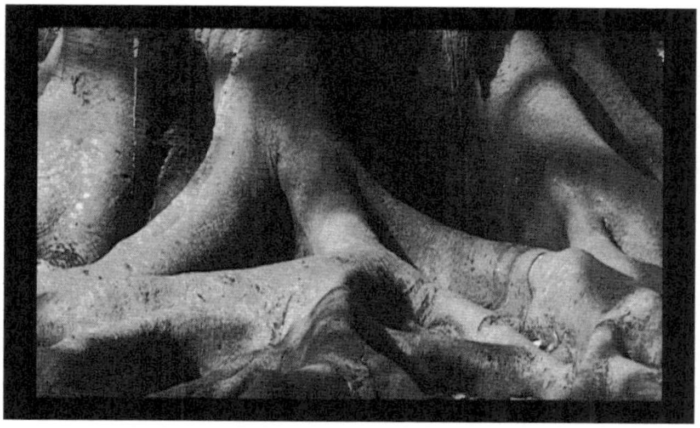

still they grappled, harder, locking for victory. And on the resolve the enemy drew the whetted sword that hung at his side, tempered and massive; like from the dark clouds to earth to snatch some helpless lamb or trembling hare. Slitting his belly open, a scooping slice ate the navel and all his bowels spilled out on the ground; hugging the shaft he writhed, gasping, shuddering like some wild bull in the hills that herdsmen shackle, trapping the beast with twisted ropes and he fights them all the way as the men drag him off, so he gasped with his wound, a little, not for long, till the hero moved in where he sprawled wrenched the spear from his corpse and the dark came shrouding down across his eyes.

But the enemy caught the other in full retreat, he let fly with a bronze-tipped arrow, hitting his right buttock up under the pelvic bone so the lance pierced the bladder. He sank on the spot, hunched in his dear companion's arms, gasping out his life as he writhed along the ground like an earthworm stretched out in death, blood pooling, soaking the earth dark red.

1st Woman – *Tremendes man, now that the gods have let you kill these men, like some lion going his own barbaric way, giving in to his power, his brute force and wild pride, as down he swoops on the flocks of men to seize his savage feast. Tell me why did you came to this land.*

1st Man – *As I said to you, nothing is worth for a man then not having where to sleep and what to eat, I have an empty stomach. Look what your man dragged in this mangy tramp and only ask you for food.*

1st Woman – *Listen to me, my comrade, brother in hardship. All ways of dying are hateful to us poor mortals, true, but to die of hunger, starve to death, that's the worst of all. Stranger! Here in our house you'll find a royal welcome. Have supper first, then tell us what you need more.*

quando estavam perto, avançando um contra o outro, três vezes arremeteram e três vezes embateram. Então o primeiro desferiu um golpe no escudo bem equilibrado mas não chegou à carne. É que a couraça aparou o golpe. Por seu lado o outro tentava sempre por cima do escudo ingente chegar ao pescoço, com a ponta da lança luzente.

As costas deles estalavam sob a pressão vigorosa das mãos audazes. O suor escorria-lhes pelo dorso; e muitas feridas, vermelhas de sangue, apareceram-lhes nas costelas e nos ombros. Mas eles esforçavam-se continuamente pela vitória.

Assim pelejando, desembainhou, o inimigo, a espada afiada, que pendia sob o flanco, espada enorme e potente; que através das nuvens escuras se lança em direcção à planície para arrebatar um terno cordeiro ou tímida lebre. Desferiu-lhe um golpe no ventre, junto do umbigo; e todas as vísceras se encontraram no chão; o outro, com a espada dentro dele, contorcia-se como um touro que nas montanhas os boieiros amarraram com vimes torcidos e arrastam à força – assim se contorceu ele, mas não durante muito tempo: até que da carne lhe arrancasse a espada o heroi chegando ao pé dele. A escuridão cobriu os seus olhos.

Ao recuar, o inimigo, disparou contra o outro uma seta de brônzea ponta e atingiu-o na nádega direita. A seta trespassou-o totalmente até chegar à bexiga, debaixo do osso. Sentado onde estava, nos braços dos queridos companheiros, expeliu o sopro da vida, tal como uma minhoca na terra que jaz ao comprido. O negro sangue corria e humedecia a terra.

1.ª Mulher – Homem tremendo, visto que te concederam os deuses subjugar estes homens, como um leão que só quer saber de selvajaria: um leão que encorajado pela sua estatura e força e altivo coração se atira aos rebanhos dos homens, para arrebatar a refeição. Diz-me agora tu porque vieste a esta terra?

1.º Homem – Tal como te disse, nada é pior ao homem que não ter onde dormir e que comer, tenho um estômago vazio. Pois tens aqui um mendigo imundo e nojento, que somente te pede de que comer.

1.ª Mulher – Ouvi as minha palavras, vós que tanto sofreste! Para os pobres mortais todas as mortes são odiosas, mas morrer à fome é o mais desgraçado dos destinos.

Estrangeiro! Serás estimado em nossa casa; e depois de teres comido me dirás de que mais tens necessidade.

A sua cidade era branca, na sua maioria,

Ou então é o futuro.

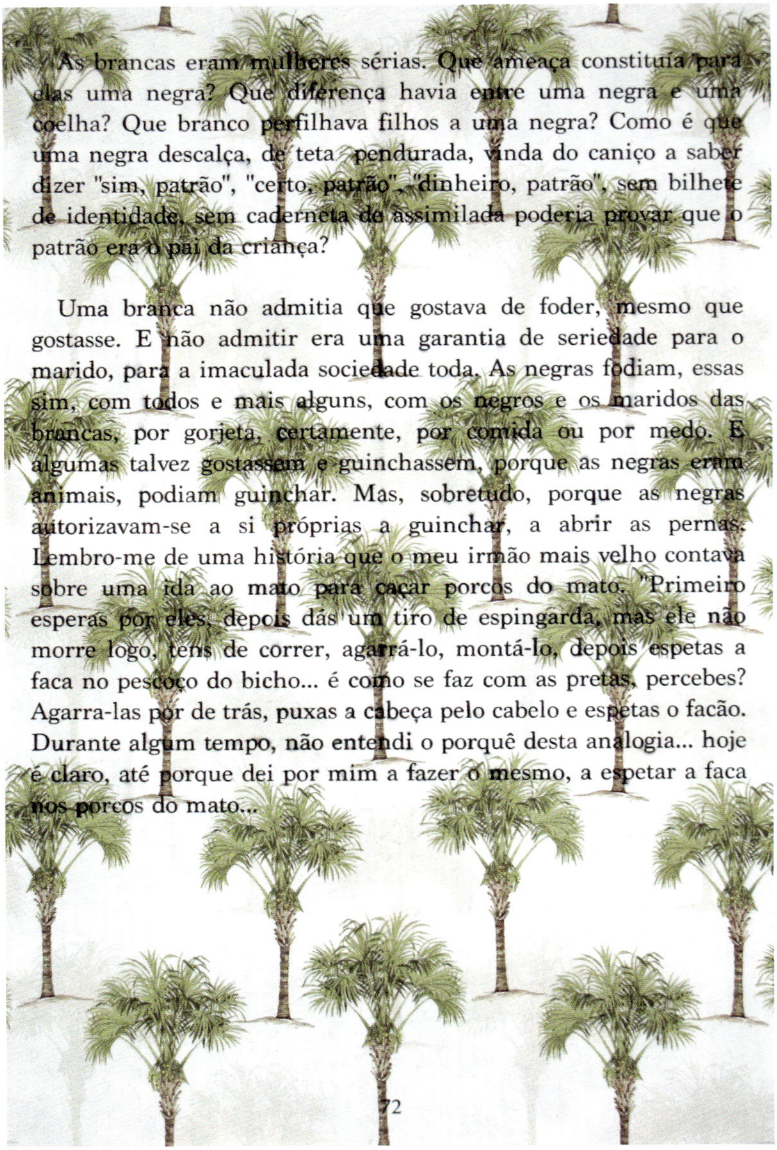

As brancas eram mulheres sérias. Que ameaça constituía para elas uma negra? Que diferença havia entre uma negra e uma coelha? Que branco perfilhava filhos a uma negra? Como é que uma negra descalça, de teta pendurada, vinda do caniço a saber dizer "sim, patrão", "certo, patrão", "dinheiro, patrão", sem bilhete de identidade, sem caderneta de assimilada poderia provar que o patrão era o pai da criança?

Uma branca não admitia que gostava de foder, mesmo que gostasse. E não admitir era uma garantia de seriedade para o marido, para a imaculada sociedade toda. As negras fodiam, essas sim, com todos e mais alguns, com os negros e os maridos das brancas, por gorjeta, certamente, por comida ou por medo. E algumas talvez gostassem e guinchassem, porque as negras eram animais, podiam guinchar. Mas, sobretudo, porque as negras autorizavam-se a si próprias a guinchar, a abrir as pernas. Lembro-me de uma história que o meu irmão mais velho contava sobre uma ida ao mato para caçar porcos do mato. "Primeiro esperas por eles, depois dás um tiro de espingarda, mas ele não morre logo, tens de correr, agarrá-lo, montá-lo, depois espetas a faca no pescoço do bicho... é como se faz com as pretas, percebes? Agarra-las por de trás, puxas a cabeça pelo cabelo e espetas o facão. Durante algum tempo, não entendi o porquê desta analogia... hoje é claro, até porque dei por mim a fazer o mesmo, a espetar a faca nos porcos do mato...

72

"É nos sonhos que tudo começa"
***"Everything starts in the dreams"*, 2014**

VII

Alguns negros iam ao cinema. Calçavam-se e vestiam roupa europeia remendada. Sentavam-se na primeira plateia e, eventualmente, em dias pouco frequentados, na primeira fila da segunda plateia.

Não estava escrito em lado algum que os negros não tinham acesso normal à plateia ou ao balcão, mas raramente os vi ocupar essas zonas. Havia um entendimento tácito, não um acordo; os negros sabiam que lhes cabia sentarem-se à frente, nos bancos de pau; os brancos esperavam que a pretalhada se juntasse toda à frente, a falar aquela língua lá deles, olhando para trás a cobiçar a mulher do branco, mas devidamente sentados no banco que lhes pertencia.

Para os brancos, um preto, lá da primeira plateia, nunca olhava para trás por bons motivos. Ou lançava o amarelo do olho contranatura às brancas ou procurava o que roubar ou destilava ódio. De forma geral, no cinema ou fora dele, o olhar dos negros nunca foi, para os colonos, isento de culpa: olhar um branco, de frente, era provocação directa; baixar os olhos, admissão de culpa. Se um negro corria, tinha acabado de roubar; se caminhava devagar, procurava o que roubar.

O meu pai acreditava num reviralho, numa África branca na qual os negros haviam de se assimilar, calçar, ir à escola e trabalhar.

Os negros haviam de sorrir-nos, sempre, e agradecer o que fizéramos pela sua terra, quer dizer, pela nossa terra e servir-nos, evidentemente, porque eram negros e nós brancos. A Marília tinha nascido no Huambo e era já assimilada, tinha sido criada lá em casa e acabou por ficar toda a vida connosco. A minha mãe gostava muito dela, era como uma filha, e dizia que ela nunca tinha encontrado ninguém para casar porque tinha todo o amor em nossa casa. Eu gostava muito dela... foi com ela que cresci, ela tinha sido minha ama. Foi ela que me ensinou grande parte das primeiras coisas que um rapaz deve aprender. Ensinou-me a apertar os sapatos, a vestir-me, a descascar as laranjas... também me dava banho, eu adorava, ela brincava comigo. Mais tarde, continuou a dar-me banho porque eu lhe pedia, fazia-me recordar velhos tempos, às vezes, enquanto me esfregava com a esponja, deixava-me mexer nas suas maminhas e, em dias especiais, eu pedia-lhe para tocar nas minhas partes íntimas. A Marília era das pessoas mais amorosas que conheci, fazia tudo o que lhe pedia, sem nunca resmungar, era um grande amor...

42

- Corrigiram, uma merda! Só que agora roubam ou assassinam os negros e isso já não é considerado delinquência, porque tudo que seja mau para os negros é bom para a pátria.
- Nem tanto assim.
- Nem tanto assim? Não deu o exemplo há bocado com o truque das dívidas para manter a escravatura camuflada? E agora quer convencer-me que não continuam delinquentes? De que lado está afinal?
- Do lado da justiça - disse Óscar.
- Qual justiça? A deles, claro.
- A justiça é só uma.
-Devia ler Proudhon ou Kropothine. Há sempre duas justiças: a dos opressores e a dos oprimidos. E você parece que escolheu a dos opressores. Aliás, o artigo do jornal prova.
- Já falámos disso.
- Nunca é demais. Compreendo que queira dar-se com eles, mas não ao ponto de fazer concessões do princípio. Com opressores não se fazem compromissos.
- É melhor terminarmos a conversa. Aqui e já.
- Ouça o que lhe digo, Óscar. Quando se fazem compromissos com os opressores fica-se igual a eles.
Óscar levantou-se da cadeira. Pagou a conta no balcão. As mão tremiam. Aproximou-se de novo da mesa e disse para o barbeiro:
- Estou farto das suas conversas. Não o aturo mais. Você vai acabar mal.
- Para ser respeitável não pode falar comigo, não é? É essa a condição que os seus amigos impuseram para o aceitarem como um deles?
- Vá à merda!

154

Como daquela vez que estavam no terraço da casa do Afonso e passou
uma rapariga negra dos seus 13 anos. Eles estavam escondidos nas sebes
a contarem histórias indecentes. Já excitados pela imaginação de
Arnaldo, todos olharam para ela e viram que era diferente.
- Vamos fazer de capitão Salgado e tomar a aldeia de Samacaca - propôs o
Amílcar.
- Vamos - disse Afonso. - Vamos vingar as mulheres brancas.
O grupo correu para a rapariga, não deu tempo de fugir.
Agarraram-na e deitaram-na ao chão. Ela gritou. Arrastaram-na até ao
pátio da casa, ela gritava cada vez mais. Trazia só um pano enrolado à
cinta que lhe puxaram com violência. O corpo jovem e nu, de menina,
tomou cintilações assombreadas ao sol das quatro da tarde. Afonso foi o
primeiro a cair em cima da rapariga. Lutava e gritava, gritava e
chorava. Alexandre pegou numa perna, Arnaldo na outra, separaram.
Afonso já podia fazer o que queria. Fez. Depois foi o outro e outro. Assim
a rapariga já não lutava, nem gritava. Os olhos estavam abertos olhando
os ramos das árvores que zumbiam com o vento. Tuca viu o que ela
olhou e não viu o que ela via. Tuca não participou.
O bando deixou a menina no chão, os olhos abertos a olhar os ramos das
árvores. Foram esconder-se no fundo do terraço para comentarem.
Depois de muito falarem da experiência, todos orgulhosos de serem
machos de verdade, lembraram-se de Tuca.
- Porque não quiseste? - perguntou-lhe Alexandre.
- É verdade, o Tuca não fez nada - disse Afonso.
- Porquê? - insistiu Alexandre. - Por ela também ser negra?
O Tuca estava atrapalhado, torcia as mãos.
- Não foi por isso, mas porque ela não queria. Não gostou. Eu vi.
- Gostou, sim - disse Arnaldo. - Gozou que nem uma negra.
- Não gostou, eu vi - disse Tuca.
- E que interessa se ela gostou ou não? - disse Alexandre.
- O que interessa é nós gozarmos. Ela não conta.
- Foi por isso que não me apeteceu.
- Se fosse uma branca, tu querias? - perguntou Arnaldo ao Tuca.
- Xé, cala-te - disse Amílcar. - Isso é pecado.
- Também não queria - disse Tuca.
Os outros encolheram os ombros. Assim Afonso e o seu bando
passavam as tardes.

- Sô Antunes, não [illegible], mas branco não [illegible] mais.
- O quê?
- Branco, nunca mais, desculpa Sô.
- Mas eu não tenho culpa que Ernesto seja branco [illegible] é bandido.
- Branco não quero mais.

Antunes ficou [illegible] a diferença da mão dela na sua.

Era isso agora? Também ela? Essa cor que ele tinha, que sempre foi força e privilégio, direito de querer e mandar, direito de sonhar até, essa cor branca agora é que o lixava?

- A cor não tem nada a ver.
- Tem, sim, olha, Sô Antunes. Você vai mandar embora a sua mulher branca para ficar comigo?

Então era isso? Antunes respirou mais aliviado. Nunca foi hipótese, as duas não eram [illegible], havia tantos casos conhecidos na cidade. Realmente, nunca lhe passou pela cabeça que bigamia assustasse a Njaya.

- Podemos discutir isso com calma.
- Não, Sô Antunes, não vale a pena. Não é que o que eu quero. Não estou a dizer, manda ela embora e fica comigo, mas é só para saber.
- Não tinha pensado nisso, mas podemos discutir.
- Nada, Sô Antunes. Você não manda ela embora, nunca [illegible] mesmo. Por isso eu digo, com branco nunca mais. Vou arranjar um homem, um dia, mas um igual. Não quero homem que de dia é uma coisa, de noite outra coisa.

Ia mandar embora Amélia para ficar com Njaya? Mandar os filhos embora? Também era pedir demais, afinal era só uma negra [illegible]. Nunca mais [illegible] coragem de entrar no bar. Que diriam os amigos? O branco de segunda que mandou embora a mulher branca para ficar com uma negra. Talvez até o proibissem [illegible] ao bar. E Ernesto ia aproveitar para contar que Njaya já fora dele, ainda por cima. Escândalo demais, vergonha dos brancos, ela era um pequeno tesouro, mas não tão rico que valesse a pena [illegible] de tudo o resto. Não, isso não podia exigir dele. A bem dizer, ela não exigiu nada.

103

C.P. GOERZ

Capita, 2012

O meu pai deu um
murro na mesa e, como
tantos outros, gritou para
a posteridade:
- Merda! Não se pode viver
sempre com medo. Temos de acabar
com eles.
- Todos, Joaquim?
- Todos! Enquanto houver negros
viveremos no medo. Estou-me cagando
se se revoltam porque lhes roubam as
terras boas para o café. Estou-me
cagando se se revoltam contra o imposto
de ter uma cubata ou contra o imposto de
nascimento. Estou-me cagando se acham
injusto pagar o ar que respiram.
Estou-me cagando se a terra antes era
deles. Não quero é viver mais no medo.
E deixa de me olhar assim, Dulce,
me estou cagando

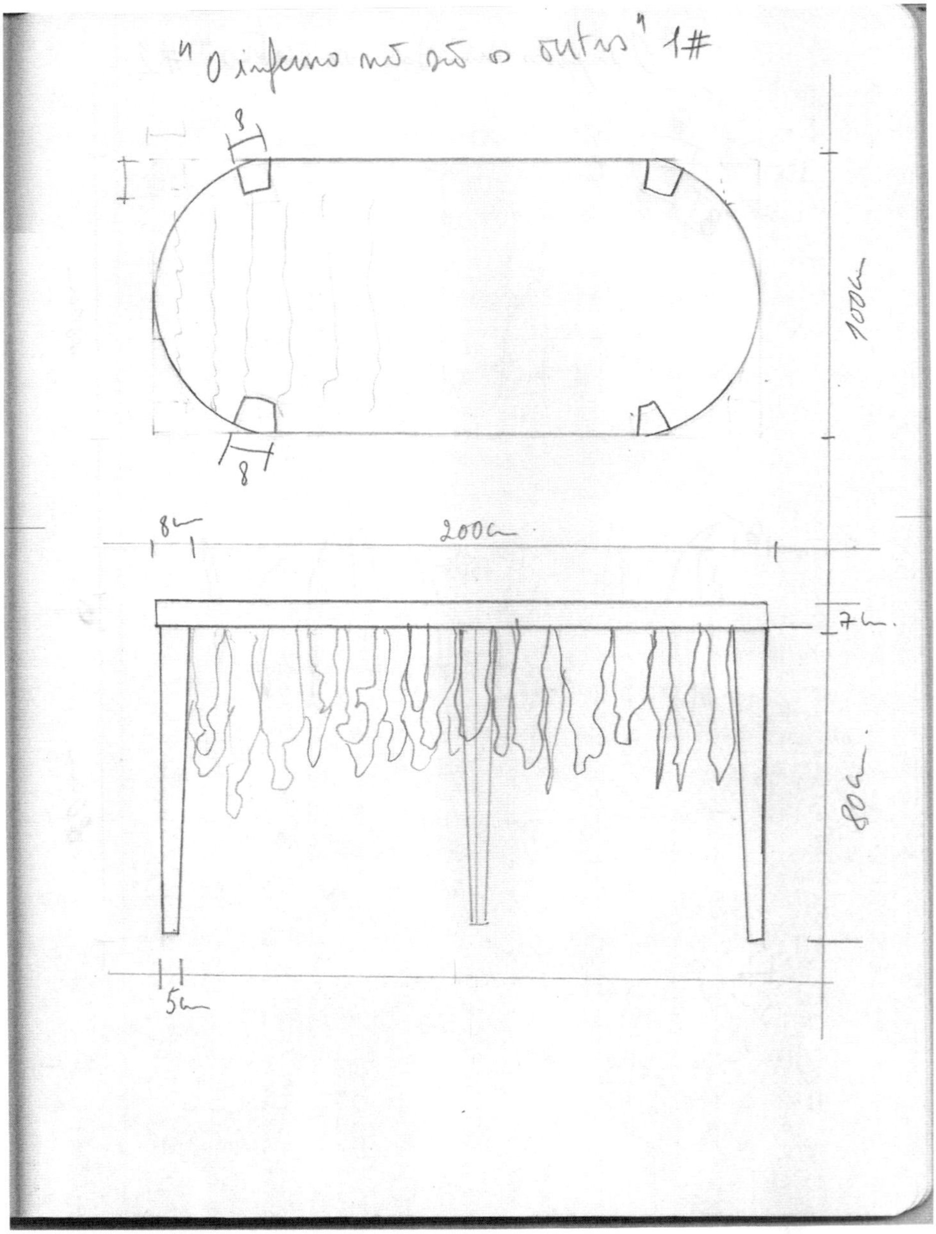

Desenhos preparatórios para O inferno não são os outros
***Preparatory drawings for Hell isn't other people*, 2015**

O inferno não são os outros

O meu pai deu um murro na mesa e, como tantos outros, gritou para a posterioridade:

— Merda! Não se pode viver sempre com medo. Temos de acabar com eles.

Um silêncio pesado respondeu-lhe e eu nem suspirei, todos ficámos na expectativa do que iria dizer depois. O silêncio que vinha das ruas vazias, das casas fechadas e abandonadas fora interrompido por minha mãe que lhe perguntou, pela primeira vez, com respeito:

— Todos, Joaquim?

— Todos! Enquanto houver negros viveremos no medo. Estou-me cagando se se revoltam porque lhes roubam as terras boas para o café. Estou-me cagando se se revoltam contra o imposto de ter uma cubata ou contra o imposto de nascimento. Estou-me cagando se acham injusto pagar o ar que respiram. Estou-me cagando se a terra antes era deles. Não quero é viver mais no medo. E deixa de me olhar assim, Dulce, também me estou cagando para ti e para o que pensas de mim.

— Acalma-te, Joaquim. Vais acordar as crianças.

— O meu pai morreu com medo. Eu nasci já com medo. Todos vocês vivem só com medo. Não há ano sem revolta. Porra, já chega. – disse meu pai para os amigos que estavam sentados à mesa.

O meu padrinho disse serenamente:

— Não achas que estás a exagerar? Olha que eles podem ter razão.

— Também tu, Jorge? Já não aguento mais, há que acabar com eles todos, não servem para nada.

— Foram feitos muitos abusos. As boas matas de café foram todas apanhadas pelos colonos. Qualquer pretexto servia. Expulsavam a população para as terras piores. E faziam escravos. Digo-te, havia escravos nas roças.

— Isso já acabou há muito tempo... isso de escravos já acabou, Jorge.

— É o que se pensa, mas há. Os próprios roceiros não o negam, tal como sobre os maus tratos aos trabalhadores, mas não é bom falar. Não se pode dizer em voz alta, mas foi a verdade que eu vi. O chicote funciona todo o dia, por tudo e por nada. E ainda mandam crucificar gente. Cru-ci-fi-car!

— Que horror!... – disse a minha tia e a minha mãe ao mesmo tempo. O meu pai disse:

— Já chega... vamos para a sala fumar, isto não vai mudar.

Hell isn't other people

My father thumped the table and, like many others, he cried out for posterity:

— Damn it! You can't always live in fear. We must get rid of them all.

— All of them, Joaquim?

— All of them! As long as there are blacks in this land, we will continue to live in fear. I don't give a damn if they revolt because the good lands for growing coffee are stolen from them. I don't give a damn if they revolt against the tax to have a hut or against the birth tax. I don't give a damn if they think that it's unfair to pay for the air that they breathe. I don't give a damn if the land was theirs before. I don't want to live in fear any more. And stop looking at me like that, Dulce, I also don't give a damn about you and whatever you think about me.

— Calm down, Joaquim. You'll wake the children.

— My father died through fear. I was born with fear. You all live in fear. A year doesn't go by without a revolt. Damn it, that's enough. – My father said to his friends seated around the table.

My godfather said quietly:

— Don't you think you're exaggerating? Look - maybe they're right.

— You too, Jorge? I can't stand any more, we have to get rid of them all, they're useless.

— There have been many abuses. The good lands for growing coffee were all taken by the settlers. Any excuse would do. They drove out the population to the poorest lands. And they took slaves. I'm telling you, there were slaves in the fields.

— That ended many years ago ... the slave trade is over, Jorge.

— That's what you think, but there are still slaves. Even the planters don't deny it, as well as the fact that workers are mistreated, but it's best to keep it hushed up. You can't say these things out loud, but that's what I saw. The whip is used all day long, for everything and anything. And they still crucify people. Cru-ci-fy them!

— That's awful! ... – my mother and my aunt exclaimed at the same time. My father said:

— That's enough ... let's go to the smoking room, this won't change.

Mesas com peças em prata.

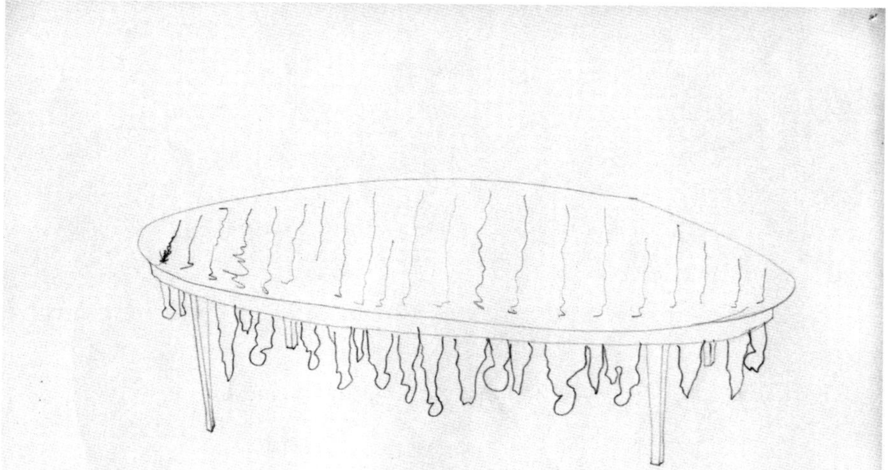

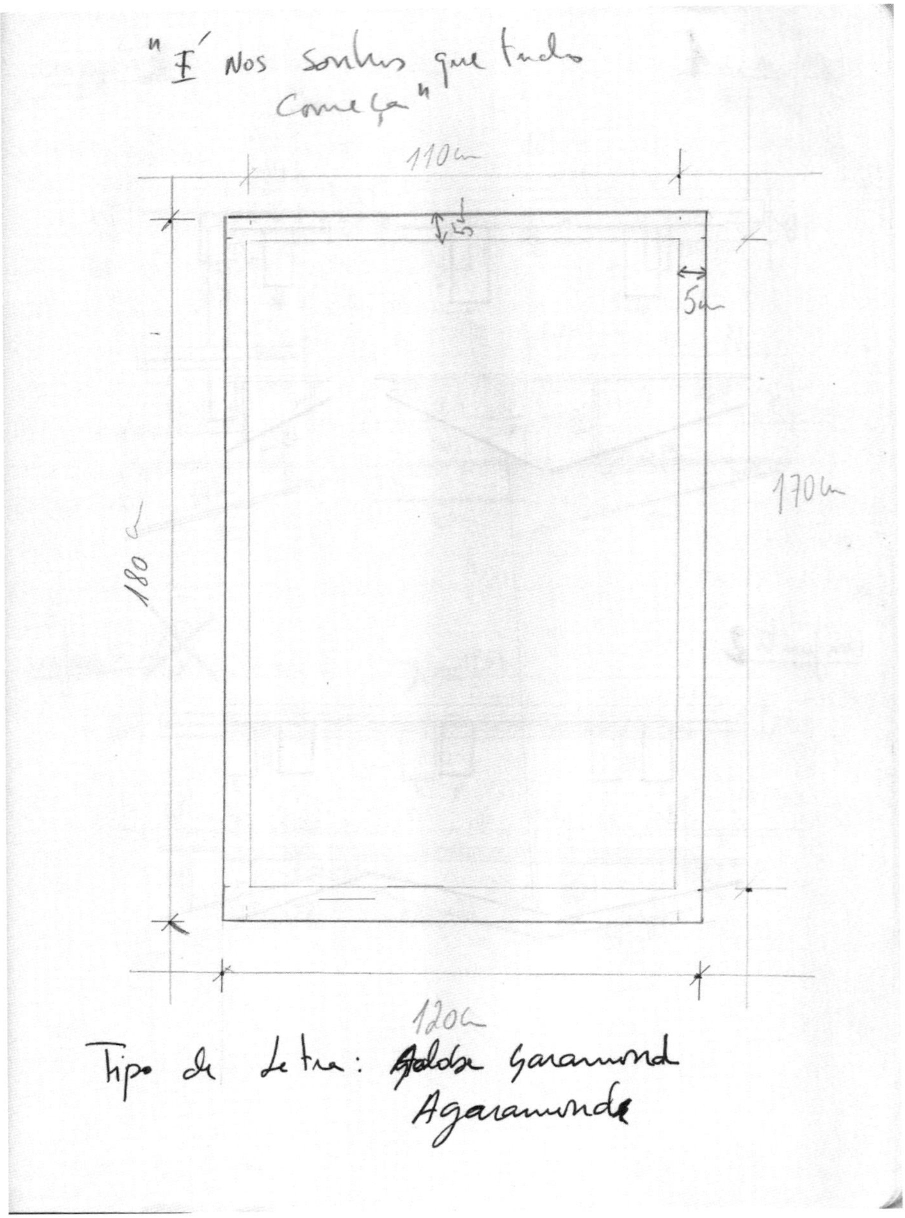

Desenho preparatório para "É nos sonhos que tudo começa"
***Preparatory drawing for "Everything starts in the dreams"*, 2014**

É nos sonhos que tudo começa

I

O meu pai acreditava num reviralho, numa África branca na qual os negros haviam de se assimilar, calçar, ir à escola e trabalhar.

Os negros haviam de sorrir-nos, sempre, e agradecer o que fizéramos pela sua terra, quer dizer, pela nossa terra e servir-nos, evidentemente, porque eram negros e nós brancos. A Marília tinha nascido no Huambo e era já assimilada, tinha sido criada lá em casa e acabou por ficar toda a vida connosco. A minha mãe gostava muito dela, era como uma filha, e dizia que ela nunca tinha encontrado ninguém para casar porque tinha todo o amor em nossa casa. Eu gostava muito dela... foi com ela que cresci, ela tinha sido minha ama. Foi ela que me ensinou grande parte das primeiras coisas que um rapaz deve aprender. Ensinou-me a apertar os sapatos, a vestir-me, a descascar as laranjas... também me dava banho, eu adorava, ela brincava comigo. Mais tarde, continuou a dar-me banho porque eu lhe pedia, fazia-me recordar velhos tempos, às vezes, enquanto me esfregava com a esponja, deixava-me mexer nas suas maminhas e, em dias especiais, eu pedia-lhe para tocar nas minhas partes íntimas. A Marília era das pessoas mais amorosas que conheci, fazia tudo o que lhe pedia, sem nunca resmungar, era um grande amor...

Everything starts in the dreams

I

My father believed in a turnaround - in a white Africa in which blacks had to assimilate, wear shoes, go to school and work.

Blacks always had to smile to us and thank us for what we'd done for their land, that is to say, for our land and obviously to serve us because they are black and we are white. Marilia was born in Huambo and had already been assimilated, she had grown up in our home and ended up spending her entire life with us. My mother was very fond of her. She viewed her like a daughter, and she said that she had never met someone to marry, because she had all the love she needed in our home. I was very fond of her ... I grew up with her, she was my nanny. She taught me many of the first things a young man should learn. She taught me how to tie my laces, to get dressed, to peel oranges ... she also gave me my bath, I loved this, she used to play with me. Later, she continued to give me my bath because I asked her, it helped me remember the good old times, sometimes, when she rubbed me with the sponge, she allowed me to play with her breasts and, on special days, I asked her to play with my private parts. Marilia was one of the most loving people I met, she did everything I asked of her, without ever grumbling, it was a great love ...

2

Perdi tudo com a morte dela. Um vazio que nunca mais se fechou. Não só por ser a minha mãe, mas por me falar como se eu fosse uma adulta, por me contar coisas que mais ninguém me explicou, com a excepção do tal segredo. Sobre esse, nunca lhe perguntei nem ela se abriu, o que me parece, hoje, óbvio. Não poderíamos abordar essa questão sobre a vida dela. Mas tinha muitas outras conversas interessantes, confidências e ensinamentos de mãe para filha. Não é com a Minga, a cozinheira, que posso ter esses diálogos. Apesar de toda a sua aparente lealdade, não passa de uma escrava. E os escravos, conforme me ensinaram desde pequena, nunca são de fiar totalmente, porque estão sempre à espera da primeira ocasião para nos enganarem e fugirem. Para eles, o que conta é voltar ao local de origem, fazem tudo para regressar ao mato. Portanto, por muito leais que pareçam, não merecem o pingo doirado de uma confidência e nunca a confiança que se tem no verdadeiro amigo. No entanto, não tenho razão de me queixar dos nossos escravos, mesmo se, por vezes, parecem indolentes, mas esse é o tempo certo deles para fazerem as coisas, diferente do nosso, mais apressado e, por isso, mais cansativo neste clima tão opressivo. Mulheres ou homens, os escravos de casa sempre foram respeitadores e obedientes. Até o meu pai, homem pouco dado a sentimentalismos, conserva alguns e não os vende por nada, diz este ou aquele não há preço que os pague, são fiéis como os cães.

2

I lost everything when she died. A void that will never be closed. Not only because she was my mother, but because she used to talk to me as if I were an adult, and told me things that no one else explained to me, except for that hushed up secret. I never asked her about it and she never addressed the topic, which today seems to me to be obvious, We couldn't talk about that issue concerning her life. But we had many other interesting conversations, sharing of confidences and mother-to-daughter chats. I can't talk about any of these things with Minga, our cook. For all her apparent loyalty, she's nothing more than a slave. And all slaves, I've been told since childhood, can never fully be trusted, because they're always waiting for the first opportunity to deceive us and escape. For them, what counts is to return to their place of origin. They do everything to return to the bush. Therefore, however loyal they may seem, you can never confide in them and they can never be trusted like a true friend. However, I have no reason to complain about our slaves, even if sometimes they seem to be extremely sluggish, because they have their own pace of work, different from ours, which is more rushed and therefore more tiring in this oppressive climate. Whether male or female, the slaves who worked in our house were always respectful and obedient. Even my father, a man not given to sentimentality, keeps some slaves and won't sell them for anything, he says that they're priceless - as loyal as dogs.

3

Alguns negros iam ao cinema. Calçavam-se e vestiam roupa europeia remendada. Sentavam-se na primeira plateia e, eventualmente, em dias pouco frequentados, na primeira fila da segunda plateia.

Não estava escrito em lado algum que os negros não tinham acesso normal à plateia ou ao balcão, mas raramente os vi ocupar essas zonas. Havia um entendimento tácito, não um acordo; os negros sabiam que lhes cabia sentarem-se à frente, nos bancos de pau; os brancos esperavam que a pretalhada se juntasse toda à frente, a falar aquela língua lá deles, olhando para trás a cobiçar a mulher do branco, mas devidamente sentados no banco que lhes pertencia.

Para os brancos, um preto, lá da primeira plateia, nunca olhava para trás por bons motivos. Ou lançava o amarelo do olho contranatura às brancas ou procurava o que roubar ou destilava ódio. De forma geral, no cinema ou fora dele, o olhar dos negros nunca foi, para os colonos, isento de culpa: olhar um branco, de frente, era provocação directa; baixar os olhos, admissão de culpa. Se um negro corria, tinha acabado de roubar; se caminhava devagar, procurava o que roubar.

3

Some blacks went to the movies. They wore shoes and mended European clothes. They sat in the stalls and eventually, on days with few spectators, in the first row of the upper section.

It wasn't written anywhere that the blacks didn't have normal access to the upper section or the circle, but I rarely saw them occupy these areas. There was a tacit understanding, rather than an agreement. The blacks knew that they were supposed to sit at the front, on the wooden benches. The whites expected the blacks to mingle at the front, speak their weird language, looking back as they coveted the white men's wives, but dutifully sitting on the wooden suits that belonged to them.

In the eyes of the white man, a black man, sitting in the front rows, never looked back for a good reason. Either they were giving an unnatural glance to the whites or were looking for something to steal, or to distil hatred. In general, whether in the cinema or elsewhere, the blacks' gaze was never blameless, in the eyes of the colonists. To look directly at a white man was a direct provocation; and if they lowered their gaze it was an admission of guilt. If a black man was running, it was because he'd just stolen something; if he was walking slowly, he was looking for something to steal.

4

— Corrigiram, uma merda! Só que agora roubam ou assassinam os negros e isso já não é considerado delinquência, porque tudo que seja mau para os negros é bom para a pátria.

— Nem tanto assim.

— Nem tanto assim? Não deu o exemplo há bocado com o truque das dívidas para manter a escravatura camuflada? E agora quer convencer-me que não continuam delinquentes? De que lado está afinal?

— Do lado da justiça – disse Óscar.

— Qual justiça? A deles, claro.

— A justiça é só uma.

— Devia ler Proudhon ou Kropothine. Há sempre duas justiças: a dos opressores e a dos oprimidos. E você parece que escolheu a dos opressores. Aliás, o artigo do jornal prova.

— Já falámos disso.

— Nunca é demais. Compreendo que queira dar-se com eles, mas não ao ponto de fazer concessões do princípio. Com opressores não se fazem compromissos.

— É melhor terminarmos a conversa. Aqui e já.

— Ouça o que lhe digo, Óscar. Quando se fazem compromissos com os opressores fica-se igual a eles.

Óscar levantou-se da cadeira. Pagou a conta no balcão. As mão tremiam. Aproximou-se de novo da mesa e disse para o barbeiro:

— Estou farto das suas conversas. Não o aturo mais. Você vai acabar mal.

— Para ser respeitável não pode falar comigo, não é? É essa a condição que os seus amigos impuseram para o aceitarem como um deles?

— Vá à merda!

4

— They corrected things, it's crap! But now blacks rob or murder people and it's no longer considered to be crime, because everything that is bad for the blacks is good for the country.

— Not exactly.

— Not exactly? You didn't give the example a while ago concerning the trick of debts in order to keep slavery hidden? And now you want to convince me that there aren't any criminals any more? Which side are you on anyway?

— On the side of justice - Oscar said.

— What justice? Theirs, of course.

— There's only one justice.

— You should read Proudhon or Kropothine. There are always two justices: that of the oppressors and the oppressed. And you seem to choose that of the oppressors. In fact, the newspaper article proves of this.

— We've already talked about that.

— It's never too late. I understand that you want to get along with them, but not to the point of undermining your principles. You don't make compromises with oppressors.

— It's better to stop this conversation. Here and now.

— Listen to what I say, Oscar. When you make compromises with the oppressors you become just like them.

Oscar got up from his chair. He paid the bill at the counter. His hand trembled. He once again approached the table and said to the barber:

— I'm tired of your conversations. I can't stand you any more. You'll end up badly.

— To be respectable you can't talk to me, can you? That's the condition that your friends imposed on you so that you could become one of them?

— Go to hell!

5

Como daquela vez que estavam no terraço da casa do Afonso e passou uma rapariga negra dos seus 13 anos. Eles estavam escondidos nas sebes a contarem histórias indecentes. Já excitados pela imaginação de Arnaldo, todos olharam para ela e viram que era diferente.

— Vamos fazer de capitão Calado e tomar a aldeia de Samacaca – propôs o Amílcar.

— Vamos – disse Afonso. – Vamos vingar as mulheres brancas.

O grupo correu para a rapariga, não deu tempo de fugir. Agarraram-na e deitaram-na ao chão. Ela gritou. Arrastaram-na até ao pátio da casa, ela gritava cada vez mais. Trazia só um pano enrolado à cinta que lhe puxaram com violência. O corpo jovem e nu, de menina, tomou cintilações acobreadas ao sol das quatro da tarde. Afonso foi o primeiro a cair em cima dela. A rapariga lutava e gritava, gritava e lutava. Alexandre pegou numa perna, Arnaldo na outra, separaram. Afonso já podia fazer o que queria. Fez. Depois foi o outro e outro. Assim, a rapariga já não lutava, nem gritava. Os olhos estavam abertos, olhando os ramos das árvores que zumbiam com o vento. Tuca viu o que ela olhou, não viu o que ela via. Tuca não participou.

O bando deixou a menina no chão, os olhos abertos a olhar os ramos das árvores. Foram esconder-se no fundo do terraço para comentarem. Depois de muito falarem da experiência, todos orgulhosos de serem machos de verdade, lembraram-se de Tuca.

— Por que não quiseste? – perguntou-lhe Alexandre.

— É verdade, o Tuca não fez nada – disse Afonso.

— Porquê? – insistiu Alexandre. – Por ela também ser negra?

Tuca estava atrapalhado, torcia as mãos.

— Não foi por isso, mas porque ela não queria. Não gostou. Eu vi.

— Gostou, sim – disse Arnaldo. – Gozou que nem uma negra.

— Não gostou, eu vi – disse Tuca.

— E que interessa se ela gostou ou não? – disse Alexandre.

— O que interessa é nós gozarmos. Ela não conta.

— Foi por isso que não me apeteceu.

— Se fosse uma branca, tu querias? – perguntou Arnaldo ao Tuca.

— Xê, cala-te – disse Amílcar. – Isso é pecado.

— Também não queria – disse Tuca.

Os outros encolheram os ombros. Assim, Afonso e o seu bando passavam as tardes.

5

Like the time when they were in Afonso's house terrace and a 13-year old black girl walked past. They were hiding in the hedges, as they told each other indecent stories. They were already excited by Arnaldo's imagination and they all looked up at her and saw that she was different.

— Let's pretend that we're Captain Calado and take the village of Samacaca – Amilcar proposed.

— Let's go – Afonso replied. – Let's avenge our white women.

The group ran towards the girl, she had no time to escape. They grabbed her and threw her to the ground. She screamed. They dragged her to the courtyard of the house, she screamed louder and louder. She was just wearing a cloth tied with a belt, which they pulled away violently. The girl's young coppery naked body, glittered in the 4 o'clock sun. Afonso was the first to leap on her. The girl struggled and screamed, she screamed and struggled. Alexandre grabbed one leg, Arnaldo the other, leaving her spreadeagled. Afonso could do whatever he wanted. And he did. Then another came and another. The girl no longer fought or screamed. Her eyes were wide open, watching the branches of the trees, as they rustled the wind. Tuca saw what she was looking at, but didn't see what she saw. Tuca didn't take part.

The group left the girl on the floor, her eyes wide open, looking up at the branches of the trees. They hid at the back of the terrace to talk about it. After talking a great deal about the experience, all very proud to be true males, they remembered Tuca.

— Why didn't you want to take part? – Asked Alexandre.

— That's true, Tuca didn't do anything – Afonso said.

— Why? – Alexandre insisted. – Because she's also black?

Tuca was confused, he wrung his hands.

— It wasn't because of that, it was because she didn't want it. She didn't enjoy it. I saw.

— Yes, she did - said Arnaldo. – She enjoyed it – like a true black girl.

— No she didn't, I saw – Tuca said.

— And what does it matter whether she liked it or not? – Alexandre said.

— What matters is that we enjoyed it. She doesn't count.

— That's why I didn't want to take part.

— If she was white, would you have wanted to? – Arnold asked Tuca.

— Xê, shut up – Amilcar said. – It's a sin.

— I also wouldn't want to – Tuca said.

The others shrugged their shoulders. That's how Afonso and his friends spent their afternoons.

6

Não o disse, mas pensava: julgara, a princípio, que ela gostasse dele, que até tivesse amor por ele. Estava enganada, claro, agora sei que a Mariazinha nunca sentiu nada pelo meu pai. Ela trabalhava em nossa casa desde os seus 10 anos, eu ainda não era nascida. Não sei quando aconteceu... não interessa esse dado preciso. O que sei é que todas as tardes o meu paizinho fazia umas sestas depois do almoço e que a Mariazinha, depois de me pôr também a dormir, ia deitar-se com ele. Sexo fácil, poder fácil. Ele estava viciado nela, naquele corpinho rijo e redondo, as maminhas pequenas e a crescerem, que cabiam na sua mão rude. A sua cabritinha, que afinal o desprezava, que afinal o largava com facilidade. Libertar-se dele, sobretudo isso, era o sentimento que lhe ocupava todo o ser, como se ela tivesse escolhido libertar-se de uma prisão, daquela ciumenta obsessão dele que a prendia. Sim, isso era o mais evidente de tudo: que a prendia!

Sinto desprezo pelo meu paizinho, por ele ter seduzido aquela rapariga tão jovem, quase uma criança. Apetece-me chorar, ao perceber a verdade até ali não confessada. E a minha mãe? Onde é que estava todas as tardes? Não me lembro de alguma vez ter trabalhado fora de casa... Talvez fosse para casa das amigas, ou para algum café, beber chá. Não sei se alguma vez soube disto... bom agora já não interessa... já não sei nada da Mariazinha. Bom, também nunca soube nada sobre ela, nem o que pensava... já não interessa. O tempo anula tudo, até o meu paizinho está com Alzheimer e não se lembra de nada, nem que viveu em África... já não interessa...

6

I didn't say it, but it was in my mind: at first I thought that she liked him, that she even loved him. But I was wrong, of course. Now I know that Mariazinha never felt anything for my father. She had worked in our house from the age of 10 – before I was born. I don't know when it started ... the precise moment is irrelevant. What I know is that every afternoon my dad took a nap after lunch and Mariazinha, after putting me to sleep too, would join him. Easy sex, easy power. He was addicted to it, her firm round slender body, her little boobs, that were still growing and could fit inside his rough hand. His little cabritinha, who actually despised him, who let him go easily. She freed herself from him, above all that, that was the feeling that filled her entire being, as if she had chosen to break free from a prison, from his jealous obsession that tied her down. Yes, that was the most obvious thing of all: that tied her down!

I feel contempt for my father, for having seduced that young girl, when she was almost a child. I feel like crying, realizing the truth that until then had never been confessed. And my mother? Where was she every afternoon? I don't remember her ever having worked outside the home ... Maybe she went to a friend's house, to have some coffee, drink a cup of tea. I don't know whether she ever knew... it doesn't matter now ... I've completely lost track of Mariazinha. Well, I also never knew anything about her or what she thought ... it doesn't matter any more. Time annuls everything, even my dad has Alzheimer's and doesn't remember anything, not even that he once lived in Africa ... it doesn't matter any more...

7

— Sô Antunes, não quero ofender. Mas branco não quero mais.

— O quê?

— Branco, nunca mais, desculpa só.

— Mas eu não tenho culpa que Ernesto seja branco. Esse é um bandido.

— Branco não quero mais.

Antunes ficou a olhar a diferença da mão dela na sua.

Era isso agora? Também ela? Essa cor que ele tinha, que sempre foi força e privilégio, direito de querer e mandar, direito de sonhar até, essa cor branca agora é que o lixava?

— A cor não tem nada a ver.

— Tem, sim, olha, Sô Antunes. Você vai mandar embora a sua mulher branca para ficar comigo?

Então era isso? Antunes respirou mais aliviado. Nunca foi hipótese, as duas não eram inconciliáveis, havia tantos casos conhecidos na cidade. Realmente, nunca lhe passou pela cabeça que bigamia assustasse a Njaya.

— Podemos discutir isso com calma.

— Não, Sô Antunes, não vale a pena. Não é que o que eu quero. Não estou a dizer, manda ela embora e fica comigo, mas é só para saber.

— Não tinha pensado nisso, mas podemos discutir.

— Nada, Sô Antunes. Você não manda ela embora, nunca pensou mesmo. Por isso eu digo, com branco nunca mais. Vou arranjar um homem, um dia, mas um igual. Não quero homem que de dia é uma coisa, de noite outra coisa.

Ia mandar embora Amélia para ficar com Njaya? Mandar os filhos embora? Também era pedir demais, afinal era só uma negra tesuda. Nunca mais ia ter coragem de entrar no bar. Que diriam os amigos? O branco de segunda que mandou embora a mulher branca para ficar com uma negra! Talvez até o proibissem de ir ao bar. E Ernesto ia aproveitar para contar que Njaya já fora dele, ainda por cima. Escândalo demais, vergonha dos brancos, ela era um pequeno tesouro, mas não tão rico que valesse a pena abdicar de tudo o resto. Não, isso não podia exigir dele. A bem dizer, ela não exigiu nada.

7

— Mr Antunes, no offence. But I don't want any more white men.

— What?

— A white man, never again, I'm sorry.

— But it's not my fault that Ernesto is white. He's a bandit.

— I don't want any more whites.

Antunes held her hand and looked at the difference.

That was the key issue? Her as well? His colour, which had always been a source of power and privilege, the right to want and to have, even the right to dream, his white colour was now his downfall?

— Colour has nothing to do with anything.

— Yes it does, look, Mr. Antunes. Are you going to send away your white wife to be with me?

So that was it? Antunes took a deep breath, relieved. There had never been a chance, the two weren't irreconcilable. There were so many cases known in the city. To be honest, it had never occurred to him that bigamy might scare Njaya.

— We can discuss this calmly.

— No, Mr. Antunes, it's not worth it. It's not that I want. I'm not saying, to send her away and stay with me, but it's just to know.

— I hadn't thought about that, but we can talk about it.

— Forget it, Mr. Antunes. You won't send her away, you never even thought about it. That's why I tell you, I don't want any more white men. I'll find myself a husband one day, but an equal. I don't want a man who's one thing during the day, another thing at night.

Would he send away Amélia to stay with Njaya? Send the children away? That would also be too much to ask. After all she was only a horny black girl. Never again would he have the courage to enter the bar. What would his friends say? The second-class white man that sent away his white wife to be with a black girl! They might even ban him from the bar. And Ernesto would take the opportunity to say that he'd already slept with Njaya, to make things worse. Too much scandal, shame for the whites. She was a little treasure, but she wasn't so valuable that she was worth giving up everything else. No, he couldn't be asked to do that. To tell the truth, she didn't ask him to do anything.

8

Uma branca não admitia que gostava de foder, mesmo que gostasse. E não admitir era uma garantia de seriedade para o marido, para a imaculada sociedade toda. As negras fodiam, essas sim, com todos e mais alguns, com os negros e os maridos das brancas, por gorjeta, certamente, por comida ou por medo. E algumas talvez gostassem e guinchassem, porque as negras eram animais, podiam guinchar. Mas, sobretudo, porque as negras autorizavam-se a si próprias a guinchar, a abrir as pernas. Lembro-me de uma história que o meu irmão mais velho contava sobre uma ida ao mato para caçar porcos do mato. "Primeiro esperas por eles, depois dás um tiro de espingarda, mas ele não morre logo, tens de correr, agarrá-lo, montá-lo, depois espetas a faca no pescoço do bicho... é como se faz com as pretas, percebes? Agarra-las por de trás, puxas a cabeça pelo cabelo e espetas o facão. Durante algum tempo, não entendi o porquê desta analogia... hoje é claro, até porque dei por mim a fazer o mesmo, a espetar a faca nos porcos do mato...

8

The white women were serious women. What threat did a black woman pose for them? What difference was there between a black woman and a rabbit? What white man confided his children to a black woman? How does a barefoot black woman, with her tits hanging down, who came from the cradle knowing how to say "yes, sir", "sure, boss," "money, boss," without an identity card, without a registration certificate for assimilated persons, how could she prove that the boss was the child's father?

A white woman didn't admit that she liked to have sex, even if she did. And not admitting this was a guarantee of seriousness for the husband, for the entire immaculate society. The black women fucked, of course, with everyone and then some, with the black men and the husbands of the white women, for a tip, certainly, for food or out of fear. And some maybe liked it and groaned, because the black women were animals - they could groan. But above all, because the black women gave themselves permission to groan, to spread their legs. I remember a story that my older brother used to tell about a trip to the woods to hunt wild pigs. "First you wait for them, then you fire your shotgun, but the animal won't die straight away, you have to run, grab it, straddle it, then you stick your knife in his neck ... it's like one does it with the black girls, you understand? Grab them from behind, pull their head by the hair and you stick it into them. For a while I didn't understand the reason for this analogy ... today it's quite clear, because I've even found myself doing the same thing, sticking a knife in wild pigs ...

9

— Não veja lá o estupor! Lembra-se daquela negra que tinha cá em casa, a Joana? Pois o cabrão engravidou-a. Bem que desconfiei dos ares dele, sempre à roda quando ela varria a casa.

— Por isso a pus a andar. Afinal já ia de barriga cheia, a cabra. Uma filha de escravos! Estes homens não têm vergonha, nem parecem brancos.

— De tanto lidar com os negros...

— Pois, hoje não me apareceu cá a cabra, a mostrar a filha? Já tem mais dum ano, uma mulata com a cara dele chapadinha. A cabra queria uma passagem para o Huambo.

— É preciso ter coragem!

— Dei-lhe uma corrida. Lá levou a passagem, claro, antes estar no Huambo que aqui... Aquiles, vai para dentro. Sempre a ouvir as conversas...

— O Aquiles assistiu à cena?

— E percebeu tudo. Perguntou se era irmã dele. Já tem sete anos, nada lhe escapa.

— Os miúdos de agora...

— Como é que há-de respeitar o pai? Saber que tem uma irmã mulata... nem pensou nos filhos, o cabrão.

— E a Don'Ana o que vai fazer?

— Que posso fazer? Para a Metrópole não volto. E ele sabe disso e abusa. Tem aqui uma escrava que serve para tudo. Até para passear os cornos.

— Ó Don'Ana!

— Escrava para passear os cornos. Estupor. Vai para dentro, Aquiles.

O menino foi para casa, mas ficou a espreitar pela janela com o Sócrates e o Orestes, os dois irmãos mais novos. Olhavam e riam. Eurídice, que só tinha dois anos, estava a dormir.

9

— What an idiot he is! Do you remember that black woman that you had there back at home – Joana? Well the bastard got her pregnant. Well I suspected him, the way he looked, always hovering around whenever she swept the house.

— So he sent her packing. With her belly full, the bitch. A slaves' daughter! These men have no shame, they don't seem to be white.

— Perhaps dealing with the blacks ...

— Yeah, well the bitch turned up today and showed me her daughter? He's already one-year old, a mulatto, his spitting image. The bitch wanted a ticket to Huambo.

— That takes some courage!

— I sent her on her way. She left with the ticket, of course, it's better that she's in Huambo than here ... Aquiles, go inside. He's always listening to our conversations ...

— Did Aquiles see it happen?

— Yes and he understood everything. He asked if it was his sister. He's already seven years old, he doesn't miss a trick.

— Kids these days ...

— How can he respect his father? Now that he knows that he has a mulatto sister ... he didn't even think about his children, the bastard.

— And you, Don'Ana, what will you do?

— What can I do? I'm not going back to the Metropolis. And he knows that and takes advantage of the situation. He has a slave here who serves for everything. Even to hide his dalliances.

— Oh Don'Ana!

— A slave to hide his dalliances. What an idiot. Go inside, Aquiles.

The boy went home, but he was peering out the window with Sócrates and Orestes, his two younger brothers. They looked out and laughed. Eurídice, who was only two years old, was asleep.

Antológica, peça de teatro co-criada entre Cão Solteiro & Vasco Araújo, Centro Cultural Vila Flor, Guimarães, Dezembro de 2014.
Antológica, theatre piece co-created between Cão solteiro & Vasco Araújo, Centro Cultural Vila Flor, Guimarães, December 2014

Portrait *is a video about the memory, the memory of a place, a home, a family. The shooting of several portraits (reproductions of paintings by Eduardo Malta) which guide the walls of a house devoid of people as if it were a still life serves as a motto for a dialogue between characters who talk about their feelings, power games, the relationship with the other, thus creating an atmosphere of mystery and seduction.*

Retrato é um vídeo sobre a memória, a memória de um lugar, de uma casa, de uma família. A filmagem de vários retratos (reproduções de pinturas de Eduardo Malta) que pautam as paredes de uma casa despida de pessoas como se de uma natureza morta se tratasse serve de mote para um dialogo entre personagens que falam dos seus sentimentos, jogos de poder, da relação com o outro, criando assim um ambiente de mistério e sedução.

Who is h

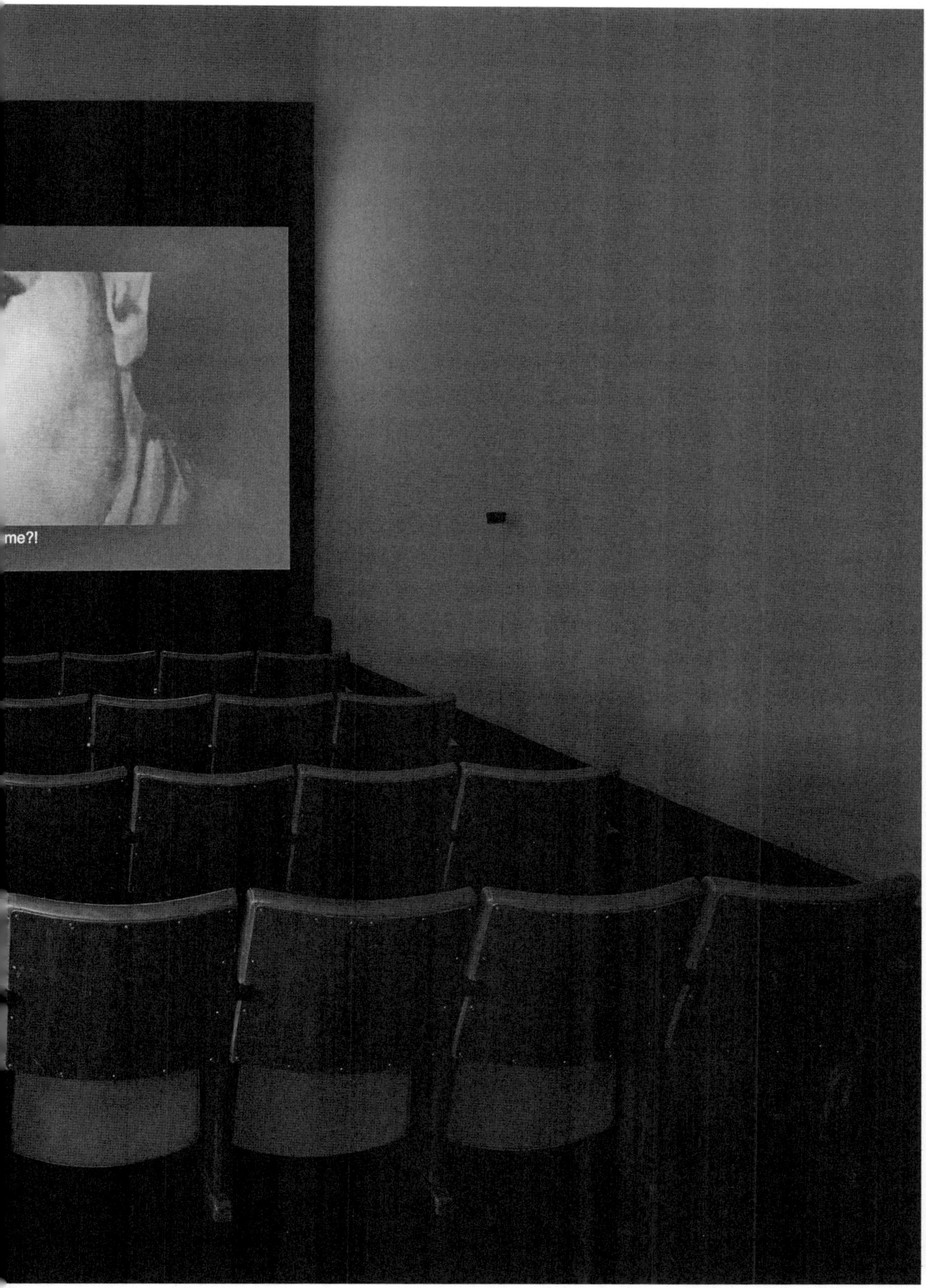
me?!

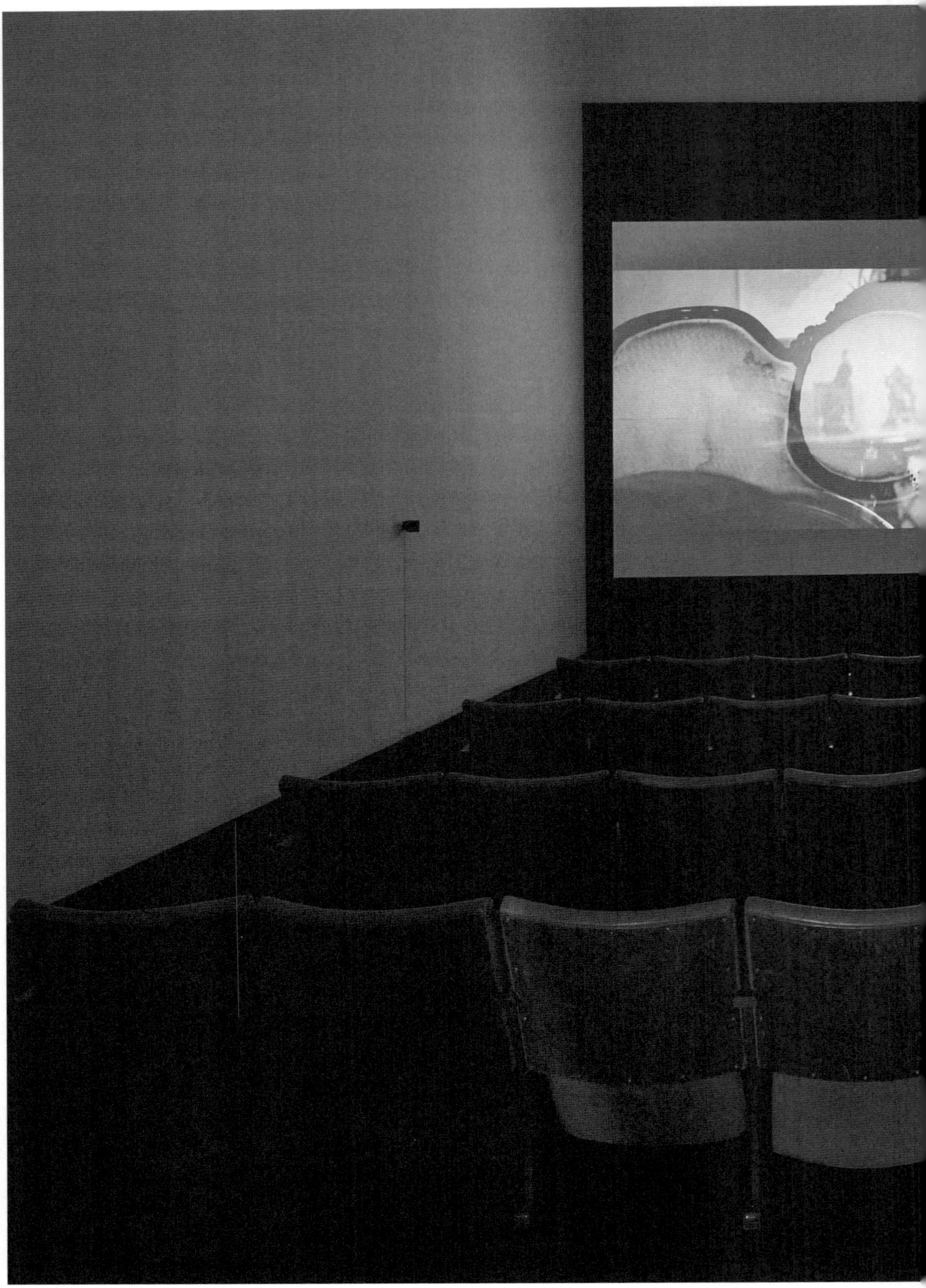

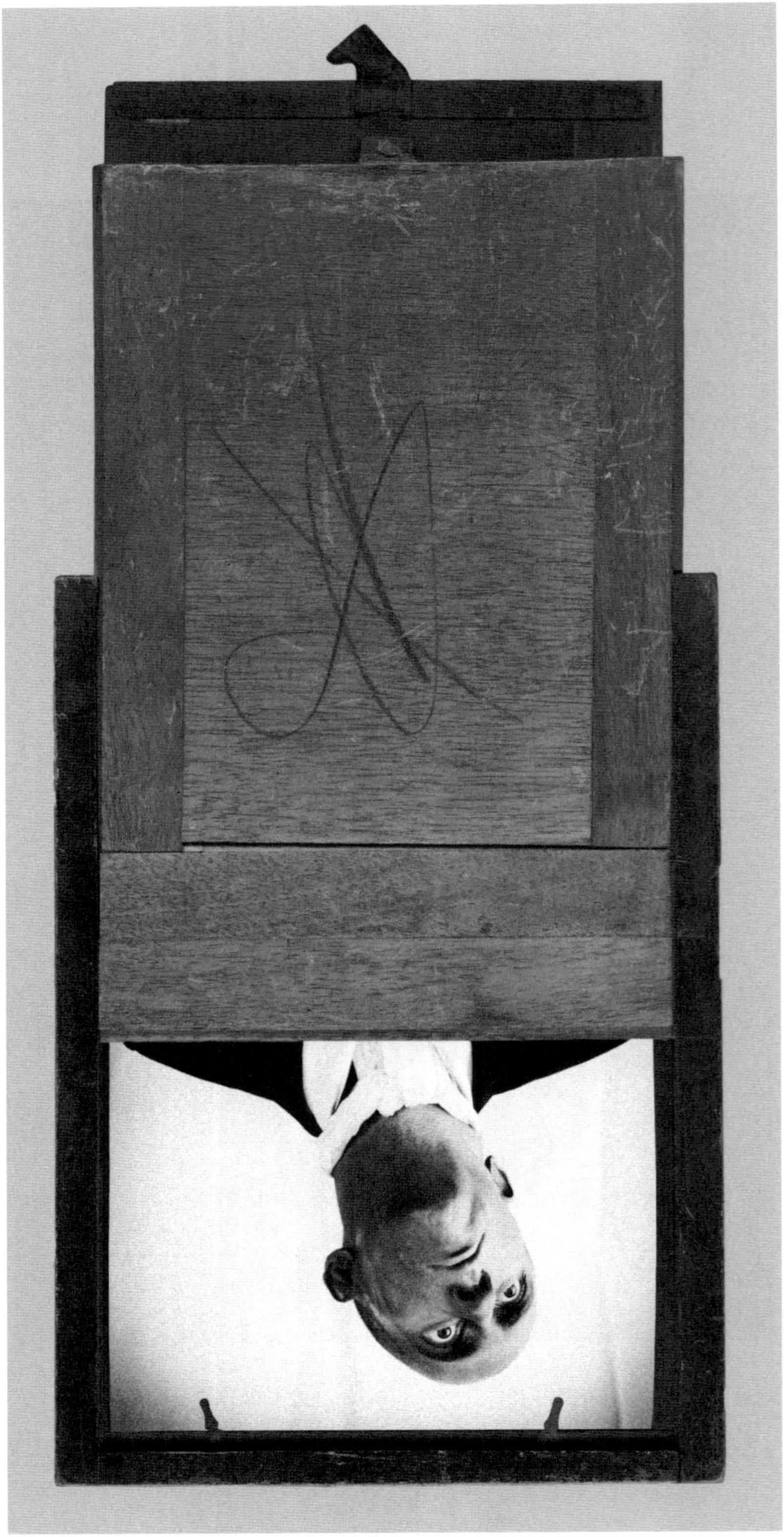

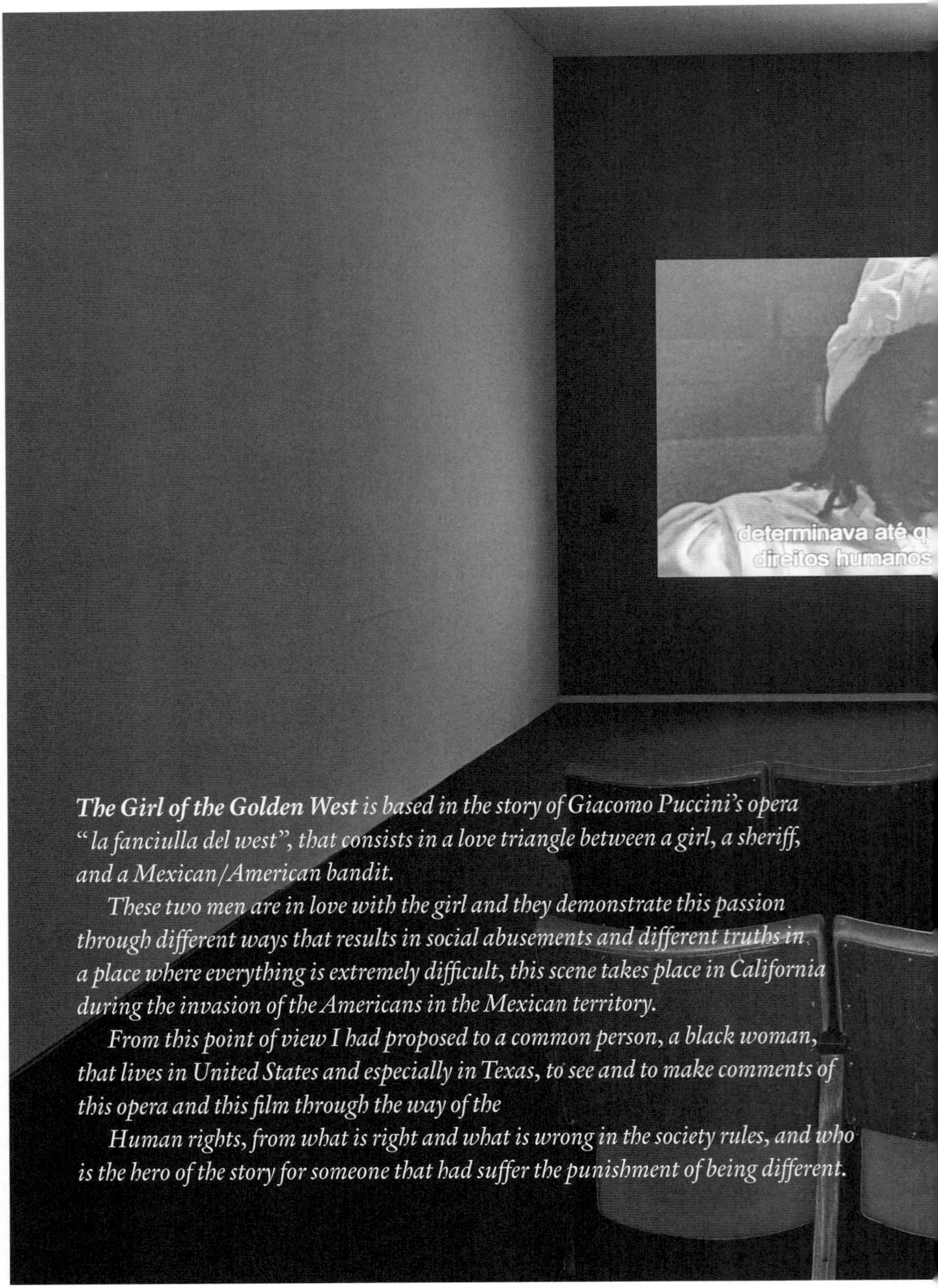

The Girl of the Golden West *is based in the story of Giacomo Puccini's opera "la fanciulla del west", that consists in a love triangle between a girl, a sheriff, and a Mexican/American bandit.*

These two men are in love with the girl and they demonstrate this passion through different ways that results in social abusements and different truths in a place where everything is extremely difficult, this scene takes place in California during the invasion of the Americans in the Mexican territory.

From this point of view I had proposed to a common person, a black woman, that lives in United States and especially in Texas, to see and to make comments of this opera and this film through the way of the

Human rights, from what is right and what is wrong in the society rules, and who is the hero of the story for someone that had suffer the punishment of being different.

The Girl of the Golden West baseia-se na história da ópera de Giacomo Puccini " La fanciulla del west", que consiste num triângulo amoroso entre uma rapariga, um xerife, e um bandido mexicano/americano.

Estes dois estão apaixonados pela rapariga demonstrando essa paixão de formas diferentes que resultam em abusos humano/sociais e verdades diferentes num local onde tudo era extremamente instável, pois a cena passa-se na Califórnia durante a tomada dos americanos do território aos mexicanos.

Desta maneira eu propus a uma mulher comum, negra, residente no Estados Unidos da América, e nomeadamente no estado do Texas, para fazer uma observação desta ópera e filme e comentá-la segundo o ponto de vista dos direitos humanos, do que estava certo ou errado dentro das regras da sociedade, quem seria o herói para alguém que sofrera a carga social da sua diferença.

Obras em exposição
Works in exhibition

O Jardim / *The Garden*, 2005
Vídeo / *Video*: 16:9, 9' 44''
Vozes / *Voices*: João Lisboa Silva;
Lucbano Afonço; Maria Luisa da Silva Gabriel,
Valdemar Dória; Teodolinda Varela
Texto: estabelecido a partir de excertos
das obras Ilíada e Odisseia de Homero
Text: established from excerts from
Homer's Illiad and Odyssey
Dimensões variáveis / *Variable Dimensions*

O inferno não são os outros /
Hell isn't other people, 2015
Mesa em madeira de sucupira, gravação a laser e
esculturas de artesanato africano
Table in sucupira wood, laser engraving
and African handicraft sculptures
Texto / *Text*: a partir de "Yaka" de Pepetela /
from Pepetela's "Yaka"
275 x 110 x 80cm

"É nos sonhos que tudo começa" /
"Everything starts in the dreams", 2014
Tinta negra sobre tecido impresso
Black paint on printed fabric
Textos / *Texts*: a partir de "Yaka" de Pepetela e
"Cadernos de memórias coloniais" de Isabela
Figueiredo / *from Pepetela's "Yaka" and Isabela*
Figueiredo's "Cadernos de memórias coloniais"
180 x 120 cm

Retrato / *Portrait*, 2014
Vídeo / *Video*, 16/9, 17'04''
Vozes / *Voices*: Paula Sá Nogueira; Pedro Penim;
Leonaldo de Almeida; Ana Isabel Strindberg; André
E. Teodósio; Letícia da Costa Gonçalves; Cláudia
Jardim; Filomena Andrade e Sousa; Joana Barrios;
Patrícia da Silva; André Godinho; Sissi Simão;
Mariana Sá Nogueira Vasco Araújo
Paintings: Eduardo Malta's painting reproductions
Texto / *Text*: José Maria Vieira Mendes
Música / *Music*: Richard Wagner – Tristan und
Isolde: Vorspiel and Isoldes Liebestod. (Arranged
for two pianos); Ankunft bei den schwarzen Schwä-
nen.; Elegy in Aflat.; Franz Liszt – Opera para-
phrases, Isolde's Liebestod
Dimenções variáveis / *Variable dimensions*

The Girl of the Golden West /
A Rapariga no Oeste Dourado, 2004
Vídeo / *Video*, 18'28'' Loop
Intérprete / *Actress*: Esther Kyle
Dimensions variáveis / *Variable dimensions*

Capita, 2012
Instalação / *Installation*
14 Fotografias Digitais a Cor
14 Colour Digital Photographs
Dimensões variáveis / *Variable dimensions*

Centro Internacional das Artes José de Guimarães
José de Guimarães International Arts Centre

Presidente da Direção d'A Oficina
President of the Board of A Oficina
Frederico Queiroz

Diretor d'A Oficina
Director of A Oficina
Frederico Queiroz

Diretor Artístico do CIAJG
CIAJG Artistic Director
Nuno Faria

Educação e Mediação Cultural
Cultural Education and Mediation
Lara Soares
Sandra Barros

Diretor de Produção
Production Manager
Pedro Silva

Diretor Técnico
Technical Director
José Patacão

Diretor de Instalações
Facilities Manager
Luís Antero

Comunicação e Marketing
Communication and Marketing
Marta Ferreira

Produção
Production
Andreia Abreu
João Covita
Hugo Dias
Sofia Leite
Andreia Novais
Susana Pinheiro
Rui Salazar

Técnica de Património
Arts & Heritage Technician
Catarina Pereira

Apoio e Manutenção
Support and Maintenance
Joaquim Mendes
Fátima Faria
Conceição Martins
Alexandrina Novais

Receção e Loja
Reception and Shop
Cláudia Fontes
Jacinta Correia
Paula Pacheco

Centro Internacional das Artes
José de Guimarães / Plataforma
das Artes e da Criatividade
Av. Conde Margaride, 175
4810-535 Guimarães
www.ciajg.pt

Exposição
Exhibition

Produção
Production
A Oficina, CIPRL

Curadoria
Curator
Nuno Faria

Coordenação
Coordination
João Covita

Produção Executiva
Executive Production
João Covita
Hugo Dias

Educação e Mediação Cultural
Cultural Education and Mediation
Lara Soares
Sandra Barros

Visitas e Oficinas
Guided tours and workshops
Isabel Alves
Matilde Seabra
Raul Pereira
Rita Faustino
Tatiana dos Santos
Vera Santos

Infografia
Inphographics
Susana Sousa

Equipa de Montagem
Installation Staff
Andreia Abreu
Jaime Guimarães
Inês Oliveira
Carlos Rego
Ana Sofia Leite (estágio / *Internship*)
Carlos Alberto Gonçalves (estágio / *Internship*)

Luz e Som
Light and Sound
Nuno Eiras
Carlos Ribeiro

Tradução e Revisão de Textos
Translation and Proofreading
Martin Dale

Agradecimentos
Acknowledgements

Isabel Carlos
Nélia Dias
Inês Valle
José de Guimarães

Clube Português de Cinematografia,
Cineclube do Porto
(José António, Teresa Mendes)

Catálogo
Catalogue

Edição
Publisher
A Oficina, CIPRL
Sistema Solar (Documenta)

Coordenação Editorial
Editorial Coordination
Nuno Faria

Desenho Gráfico
Graphic Design
Atelier Pedro Falcão
Proporção
Proportion
[2:3] – 16 x 24 cm
Tipos de letra
Typefaces
Verdigris
Gothic 720

Produção Executiva
Executive Production
João Covita

Textos
Texts
Nuno Faria
Vasco Araújo
Isabela Figueiredo
Pepetela

Tradução
Translation
Martin Dale

Revisão
Proofreading
Helena Roldão

Fotografia
Photography
Vasco Célio e/*and*
Ricardo Nascimento / Stills
Paulo Pacheco, p. 121

Pré-impressão, impressão e acabamento
Pre-printing, printing and finishing
Tipografia Lessa

Tiragem
Print-run
500

ISBN (A Oficina, CIPRL)
978-989-8474-38-4
ISBN (Documenta)
978-989-8618-77-1

Depósito Legal
Legal Deposit
398 884/15

Por vontade dos autores, os textos neste livro apresentam-se segundo a antiga ortografia.
In accordance with the author's wishes, the texts in this book comply with the previous Portuguese Language Orthographic Agreement.

PLATAFORMA DAS ARTES
E DA CRIATIVIDADE

oficina

CÂMARA
MUNICIPAL DE
GUIMARÃES

dgARTES
DIRECÇÃO-GERAL DAS ARTES

GOVERNO DE
PORTUGAL

SECRETÁRIO DE ESTADO
DA CULTURA